1일 10분

초등 메가 어휘력

초등 1~2학년

2권

KB067058

자기 주도 학습력을 기르는 **1일 10분** 공부 습관!

공부가 쉬워지는 힘, 자기 주도 학습력!

자기 주도 학습력은 스스로 학습을 계획하고, 계획한 대로 실행하고, 결과를 평가하는 과정에서 향상됩니다.
이 과정을 매일 반복하여 훈련하다 보면 주체적인 학습이 가능해지며 이는 곧 공부 자신감으로 연결됩니다.

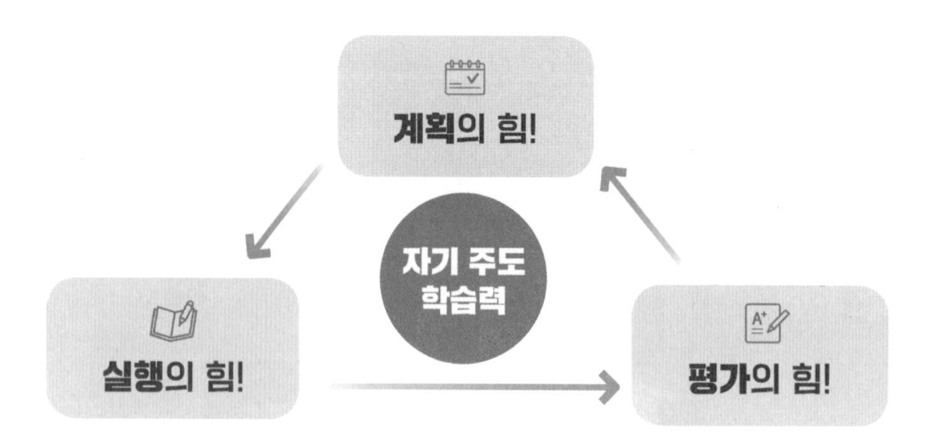

1일 10분 시리즈의 3단계 학습 로드맵

〈1일 10분〉 시리즈는 계획, 실행, 평가하는 3단계 학습 로드맵으로 자기 주도 학습력을 향상시킵니다.
또한 1일 10분씩 꾸준히 학습할 수 있는 **부담 없는 학습량으로 매일매일 공부 습관이 형성**됩니다.

1단계 학습 **계획**하기

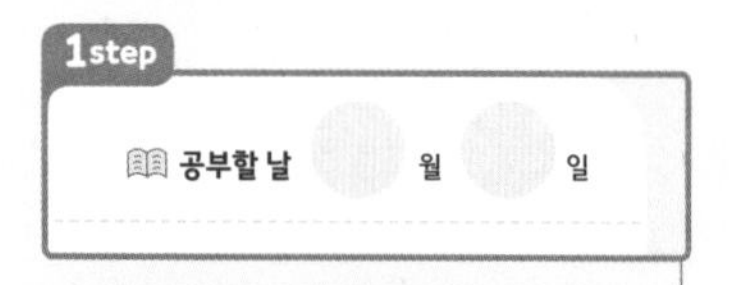

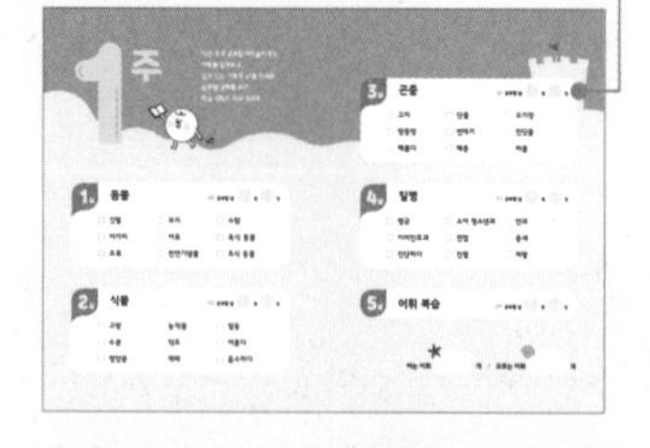

주 단위로 학습 목표를 확인하고 학습할 날짜를 스스로 계획하는 과정에서 자기 주도 학습력이 향상됩니다.

2단계 학습 **실행**하기

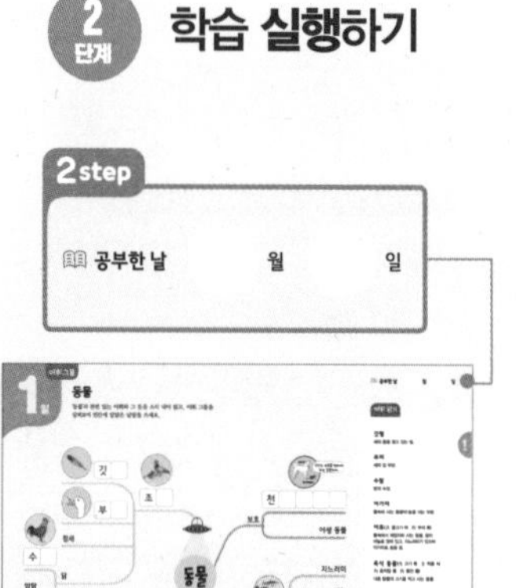

1일 10분 주 5일 매일 일정 분량 학습으로, 초등 학습의 기초를 탄탄하게 잡는 공부 습관이 형성됩니다.

3단계 결과 **평가**하기

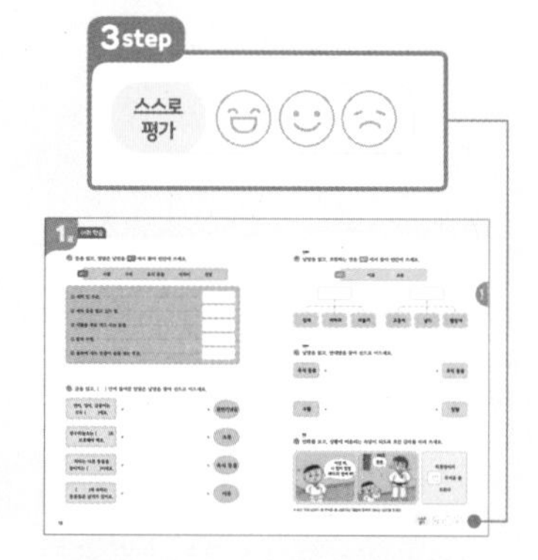

학습을 완료하고 계획대로 실행했는지 스스로 진단하며 성취감과 공부 자신감이 길러집니다.

마인드맵으로 배우는 교과 어휘

초등 메가 어휘력

마인드맵을 활용하여 어휘를 효과적으로 학습합니다.

마인드맵은 영국의 두뇌학자인 토니 부잔(Tony Buzan)이 만든 시각적인 사고 도구(Visual Thinking)로, 좌뇌와 우뇌를 동시에 사용하여 자신의 생각을 지도를 그리듯 이미지화한 것입니다. 전문가들은 마인드맵을 활용하면 어휘를 깊이 있게 이해하고 더 오래 기억할 수 있다고 말합니다. 〈1일 10분 초등 메가 어휘력〉은 주제를 중심으로 어휘 사이의 관계를 이해하고 사고력, 창의력, 기억력을 높여 어휘를 효과적으로 학습할 수 있도록 합니다.

교과 선정 어휘로 구성하여 교과 학습을 도와줍니다.

〈1일 10분 초등 메가 어휘력〉은 초등 교과를 바탕으로 선정한 주제와 그와 관련된 어휘들로 이루어져 있습니다. 교과에서 선정한 어휘를 주제별로 묶어, 주제를 중심으로 어휘를 학습하면서 자연스러운 교과 학습뿐 아니라 교과목을 넘나드는 융합적인 어휘력을 기를 수 있습니다.

다양한 어휘 활동으로 어휘력을 향상시켜 줍니다.

무작정 외우는 학습법으로는 어휘를 다양하게 활용할 수 없습니다. 〈1일 10분 초등 메가 어휘력〉은 어휘와 어휘 사이의 관계를 파악하고 다양한 쓰임새를 학습하도록 구성하였습니다. 학습 어휘를 바탕으로 연상 어휘, 유의어, 반의어, 한자어, 상위어, 하위어, 속담, 관용구, 사자성어 등 다양한 문제를 제공하여 어휘력을 향상시키는 동시에 사고력도 키워 줍니다.

자기 주도적인 공부 습관을 길러 줍니다.

아이 스스로 공부할 수 있도록 이끌어 주려면 아이가 소화할 수 있는 학습량을 제시해 주어야 합니다. 〈1일 10분 초등 메가 어휘력〉은 1일 4쪽 분량으로 아이 혼자서도 부담 없이 재미있게 공부할 수 있도록 구성되어 있습니다. 어휘 그물을 채우고 문제를 푸는 반복적인 과정을 통해 어휘를 익히고, 스스로 어휘 그물을 그려 보며 자기 주도적인 공부 습관을 기를 수 있게 도와줍니다.

이 책의 구성

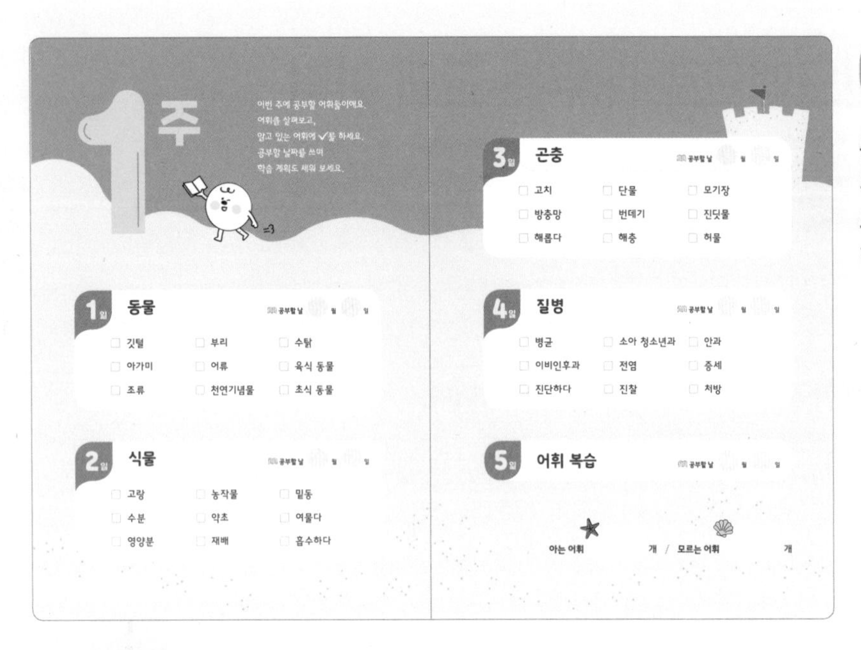

1주

이번 주에 공부할 어휘들이에요.
어휘를 살펴보고,
알고 있는 어휘에 ✓를 하세요.
공부할 날짜를 쓰며
학습 계획도 세워 보세요.

1일 동물 　공부할 날 　월 　일
- □ 깃털 □ 부리 □ 수탉
- □ 아가미 □ 어류 □ 육식 동물
- □ 조류 □ 천연기념물 □ 초식 동물

2일 식물 　공부할 날 　월 　일
- □ 고랑 □ 농작물 □ 밑동
- □ 수분 □ 약초 □ 여물다
- □ 영양분 □ 재배 □ 흡수하다

3일 곤충 　공부할 날 　월 　일
- □ 고치 □ 단물 □ 모기장
- □ 방충망 □ 번데기 □ 진딧물
- □ 해롭다 □ 해충 □ 허물

4일 질병 　공부할 날 　월 　일
- □ 병균 □ 소아 청소년과 □ 안과
- □ 이비인후과 □ 전염 □ 증세
- □ 진단하다 □ 진찰 □ 처방

5일 어휘 복습 　공부할 날 　월 　일

아는 어휘 　개 / 모르는 어휘 　개

어휘 미리보기

본격적으로 학습하기 전에 주별 학습 어휘 주제를 미리 살펴봅니다. 아는 어휘와 모르는 어휘가 각각 얼마나 되는지 체크합니다.

어휘 그물

어휘의 설명을 읽고, 마인드맵 형식으로 표현한 어휘 그물의 빈칸을 채우며 주제별 어휘를 학습합니다. 어휘 그물의 학습 어휘는 생활과 밀접한 생활 어휘와 초등학교 교과에서 주요하게 다루는 어휘로 선정하였습니다.

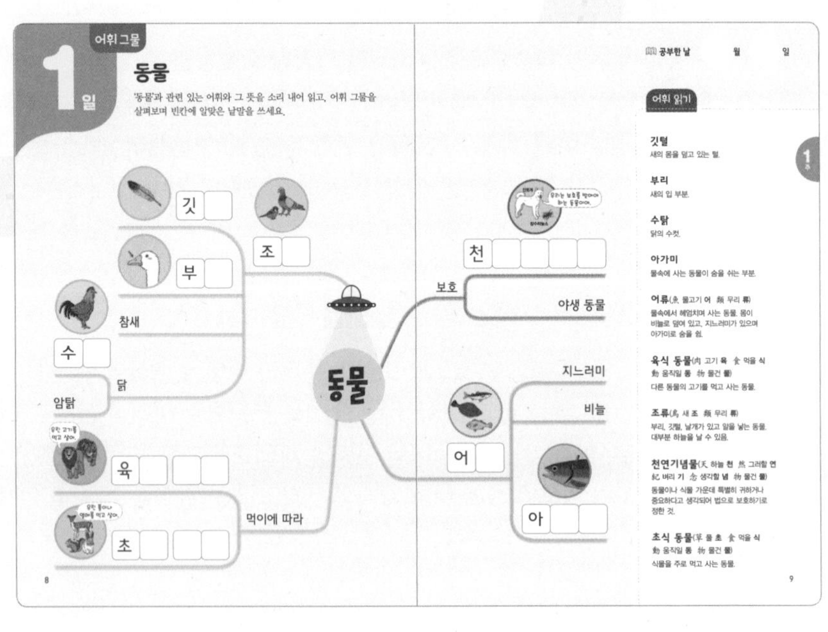

어휘 그물

1일 동물

'동물'과 관련 있는 어휘와 그 뜻을 소리 내어 읽고, 어휘 그물을 살펴보며 빈칸에 알맞은 낱말을 쓰세요.

공부한 날 　월 　일

어휘 읽기

깃털
새의 몸을 덮고 있는 털.

부리
새의 입 부분.

수탉
닭의 수컷.

아가미
물속에 사는 동물이 숨을 쉬는 부분.

어류(魚 물고기 어 類 무리 류)
물속에서 헤엄치며 사는 동물. 몸이 비늘로 덮여 있고, 지느러미가 있으며 아가미로 숨을 쉼.

육식 동물(肉 고기 육 食 먹을 식 動 움직일 동 物 물건 물)
다른 동물의 고기를 먹고 사는 동물.

조류(鳥 새 조 類 무리 류)
부리, 깃털, 날개가 있고 알을 낳는 동물. 대부분 하늘을 날 수 있음.

천연기념물(天 하늘 천 然 그러할 연 紀 벼리 기 念 생각할 념 物 물건 물)
동물이나 식물 가운데 특별히 귀하거나 중요하다고 생각되어 법으로 보호하기로 정한 것.

초식 동물(草 풀 초 食 먹을 식 動 움직일 동 物 물건 물)
식물을 주로 먹고 사는 동물.

8 　9

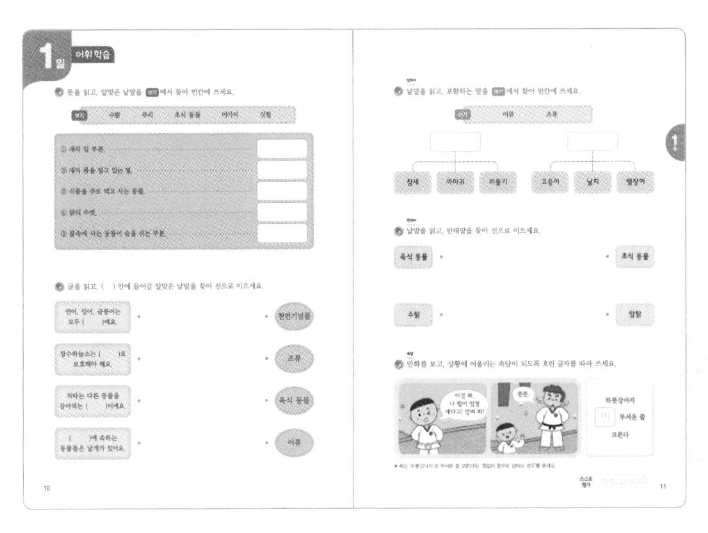

어휘 학습

문장 속에서 어휘를 활용한 문제, 어휘의 뜻을 명확하게 인지하는 문제로 확실하게 어휘를 익힙니다. 학습 어휘를 중심으로 연상 어휘, 비슷한말, 반대말, 포함하는 말, 포함되는 말을 배우며 어휘 간의 관계를 파악하고 어휘의 범위를 확장시킵니다. 속담, 사자성어, 관용구에 대해서도 알아봅니다.

어휘 복습

1~4일에서 학습한 어휘를 교과별로 분류하여 문제를 풀어 봅니다. 앞에서 배운 어휘의 뜻을 제대로 이해했는지 복습하고, 교과별로 새로 나온 어휘도 익혀 봅니다. 동시, 일기 형태의 다양한 글을 읽으며 앞에서 학습한 어휘를 익혀 봅니다.

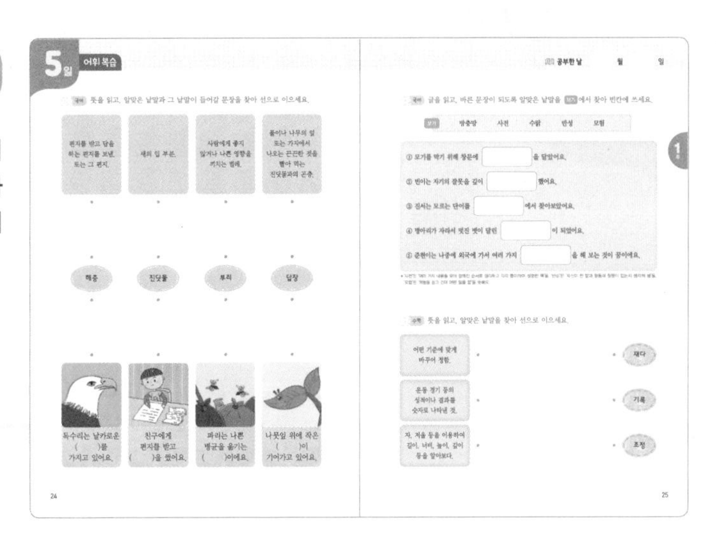

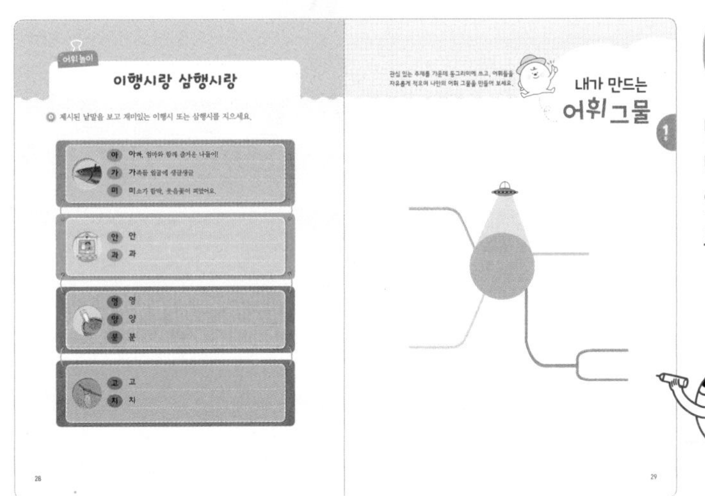

어휘 놀이 + 내가 만드는 어휘 그물

빈 곳에 들어갈 낱말 찾기, 숨어 있는 그림 찾기, 낱말 퍼즐, 빙고 등의 재미있는 놀이로 학습 어휘를 확인합니다. 관심 있는 주제와 관련 어휘들을 자유롭게 적어 나만의 어휘 그물도 만들어 봅니다.

1

이번 주에 공부할 어휘들이에요.
어휘를 살펴보고,
알고 있는 어휘에 ✓를 하세요.
공부할 날짜를 쓰며
학습 계획도 세워 보세요.

1일 동물

📖 공부할 날 월 일

- [ ] 깃털
- [ ] 부리
- [ ] 수탉
- [ ] 아가미
- [ ] 어류
- [ ] 육식 동물
- [ ] 조류
- [ ] 천연기념물
- [ ] 초식 동물

2일 식물

📖 공부할 날 월 일

- [ ] 고랑
- [ ] 농작물
- [ ] 밑동
- [ ] 수분
- [ ] 약초
- [ ] 여물다
- [ ] 영양분
- [ ] 재배
- [ ] 흡수하다

3일 곤충

공부할 날 월 일

- [ ] 고치
- [ ] 단물
- [ ] 모기장
- [ ] 방충망
- [ ] 번데기
- [ ] 진딧물
- [ ] 해롭다
- [ ] 해충
- [ ] 허물

4일 질병

공부할 날 월 일

- [ ] 병균
- [ ] 소아 청소년과
- [ ] 안과
- [ ] 이비인후과
- [ ] 전염
- [ ] 증세
- [ ] 진단하다
- [ ] 진찰
- [ ] 처방

5일 어휘 복습

공부할 날 월 일

아는 어휘 개 / 모르는 어휘 개

1일

동물

'동물'과 관련 있는 어휘와 그 뜻을 소리 내어 읽고, 어휘 그물을 살펴보며 빈칸에 알맞은 낱말을 쓰세요.

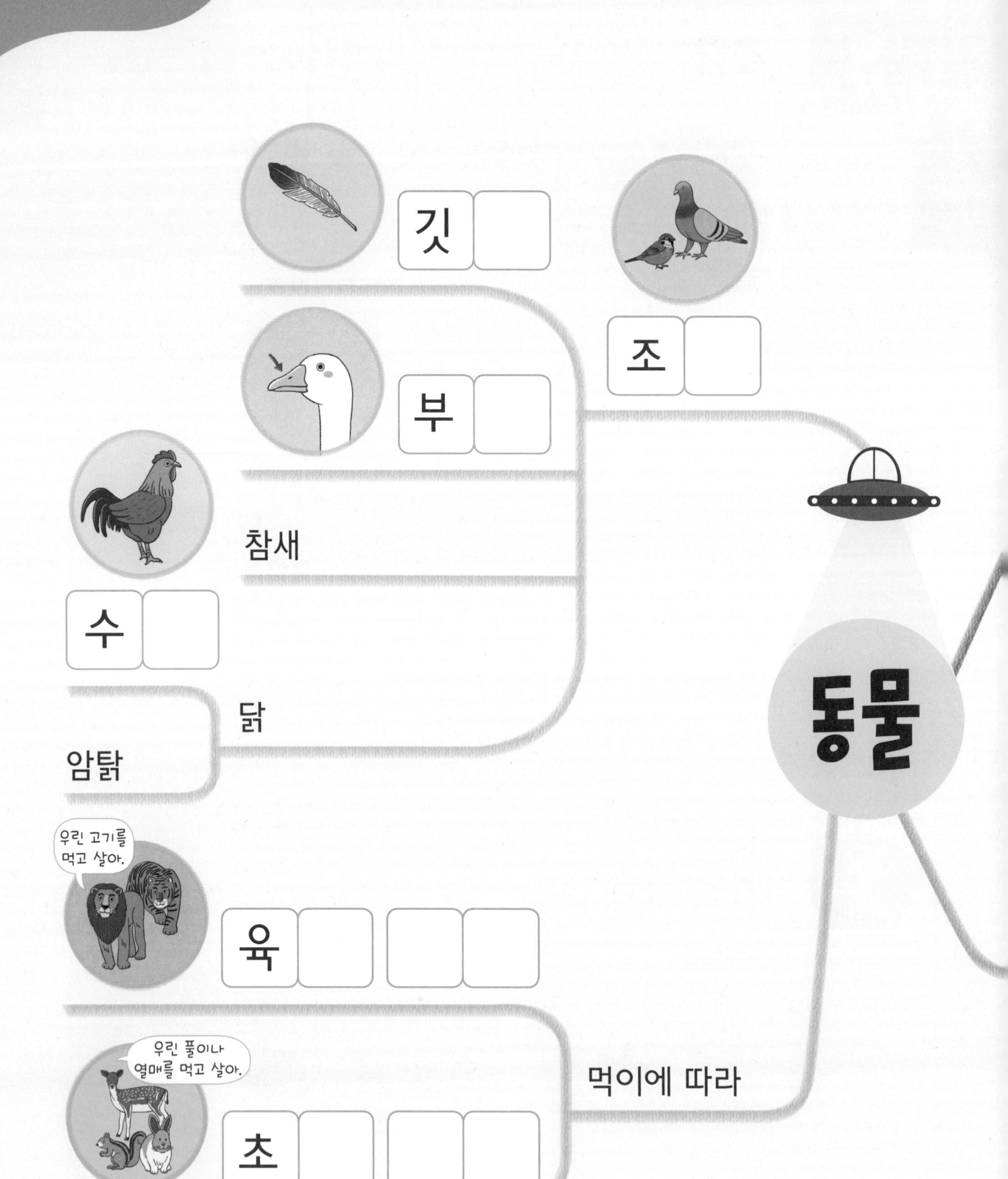

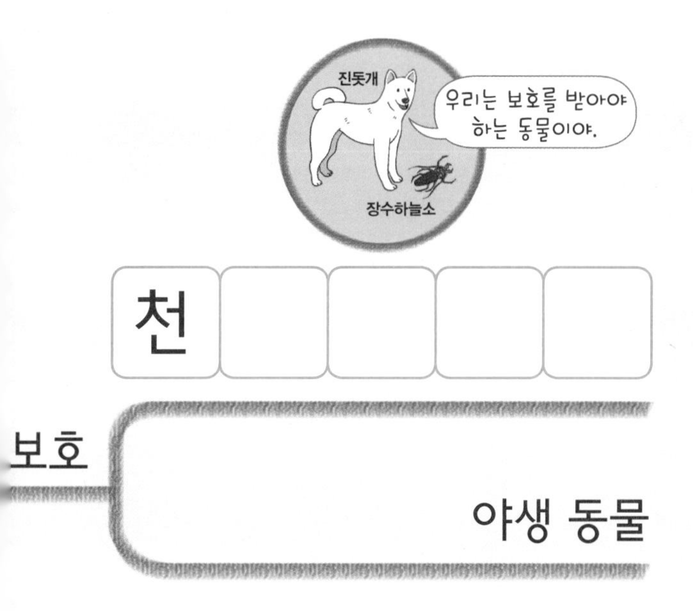

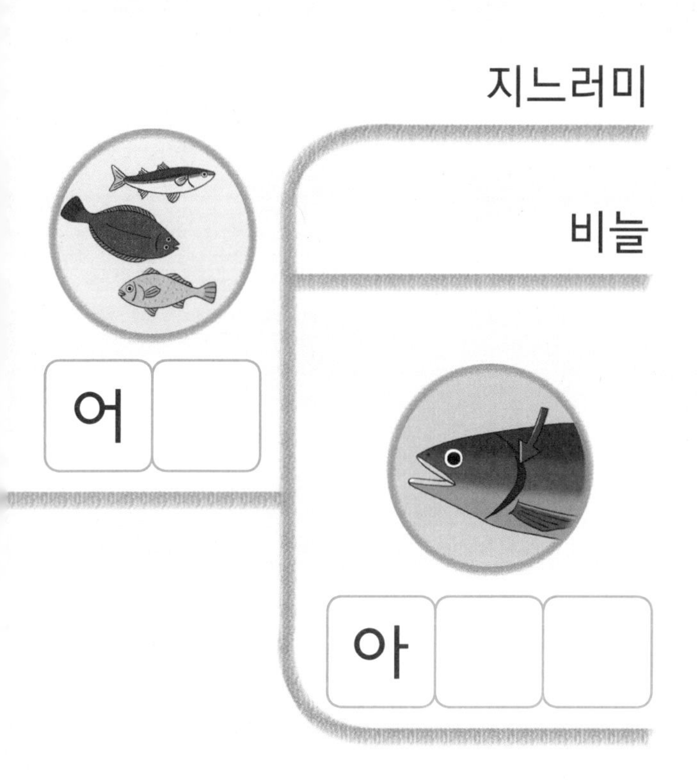

어휘 읽기

깃털
새의 몸을 덮고 있는 털.

부리
새의 입 부분.

수탉
닭의 수컷.

아가미
물속에 사는 동물이 숨을 쉬는 부분.

어류(魚 물고기 **어** 類 무리 **류**)
물속에서 헤엄치며 사는 동물. 몸이 비늘로 덮여 있고, 지느러미가 있으며 아가미로 숨을 쉼.

육식 동물(肉 고기 **육** 食 먹을 **식** 動 움직일 **동** 物 물건 **물**)
다른 동물의 고기를 먹고 사는 동물.

조류(鳥 새 **조** 類 무리 **류**)
부리, 깃털, 날개가 있고 알을 낳는 동물. 대부분 하늘을 날 수 있음.

천연기념물(天 하늘 **천** 然 그러할 **연** 紀 벼리 **기** 念 생각할 **념** 物 물건 **물**)
동물이나 식물 가운데 특별히 귀하거나 중요하다고 생각되어 법으로 보호하기로 정한 것.

초식 동물(草 풀 **초** 食 먹을 **식** 動 움직일 **동** 物 물건 **물**)
식물을 주로 먹고 사는 동물.

1 주

어휘 학습

뜻을 읽고, 알맞은 낱말을 보기 에서 찾아 빈칸에 쓰세요.

보기 수탉 부리 초식 동물 아가미 깃털

① 새의 입 부분. ······ [ ]

② 새의 몸을 덮고 있는 털. ······ [ ]

③ 식물을 주로 먹고 사는 동물. ······ [ ]

④ 닭의 수컷. ······ [ ]

⑤ 물속에 사는 동물이 숨을 쉬는 부분. ······ [ ]

글을 읽고, ( ) 안에 들어갈 알맞은 낱말을 찾아 선으로 이으세요.

연어, 잉어, 금붕어는 모두 ( )예요. •	• 천연기념물
장수하늘소는 ( )로 보호해야 해요. •	• 조류
치타는 다른 동물을 잡아먹는 ( )이에요. •	• 육식 동물
( )에 속하는 동물들은 날개가 있어요. •	• 어류

상위어

낱말을 읽고, 포함하는 말을 보기 에서 찾아 빈칸에 쓰세요.

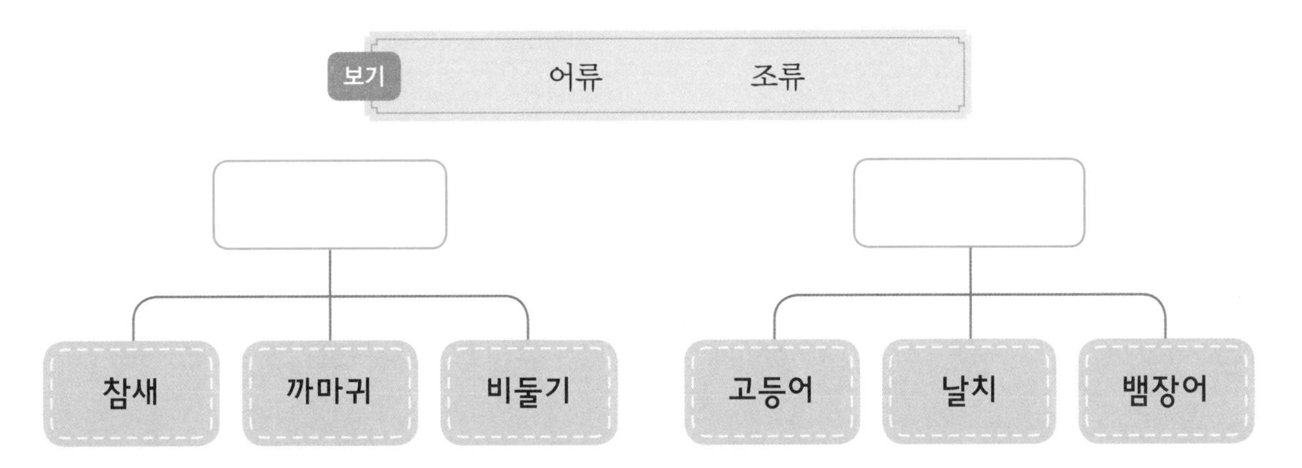

반의어

낱말을 읽고, 반대말을 찾아 선으로 이으세요.

속담

만화를 보고, 상황에 어울리는 속담이 되도록 흐린 글자를 따라 쓰세요.

▶속담 '하룻강아지 범 무서운 줄 모른다'는 '철없이 함부로 덤비는 경우'를 뜻해요.

스스로 평가

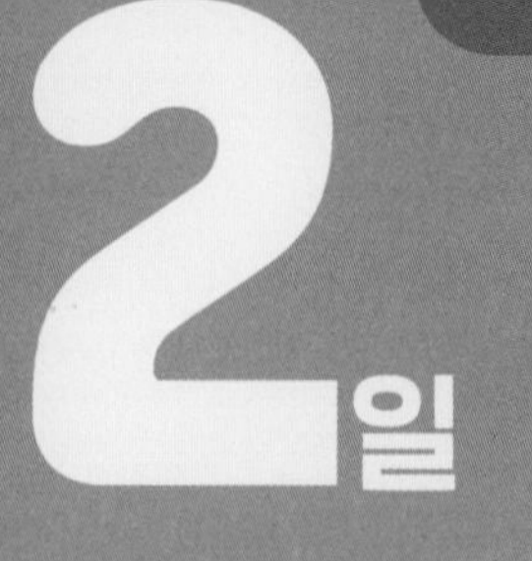

식물

'식물'과 관련 있는 어휘와 그 뜻을 소리 내어 읽고, 어휘 그물을 살펴보며 빈칸에 알맞은 낱말을 쓰세요.

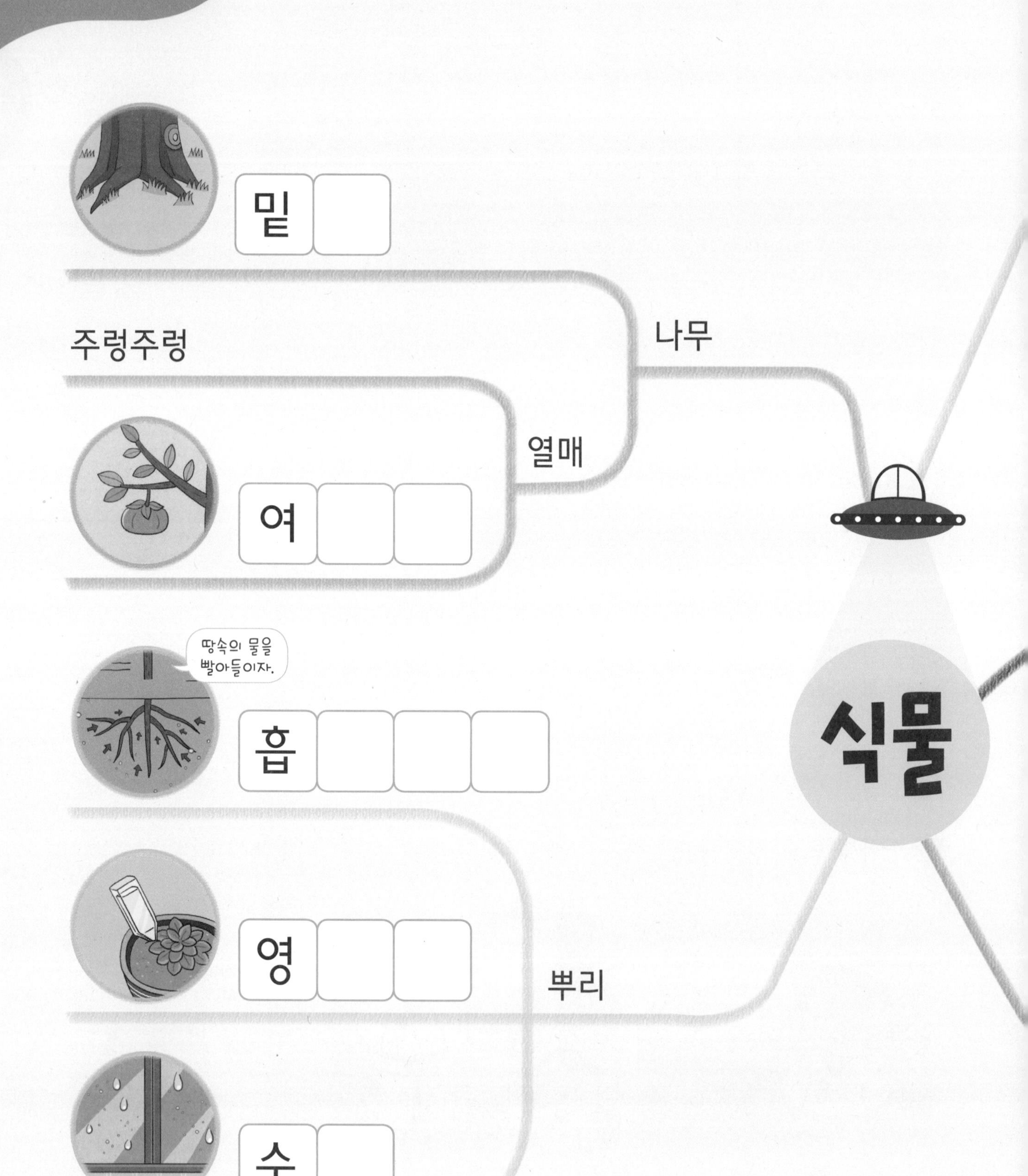

이랑*

밭

고

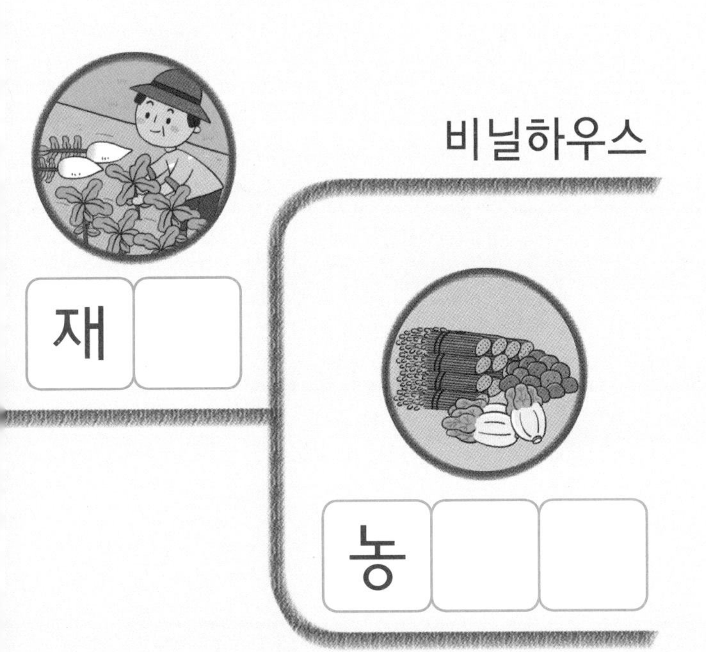

재

비닐하우스

농

파릇파릇

풀

약

*이랑: 논이나 밭을 갈아 불룩하게 흙을 쌓아 만든 것.

어휘 읽기

고랑
흙을 갈아 불룩하게 쌓은 땅과 땅 사이에 길고 좁게 파인 곳.

농작물
(農 농사 **농** 作 지을 **작** 物 물건 **물**)
논밭에 심어 가꾸는 곡식이나 채소.

밑동
뿌리에 가까운 나무줄기 부분.

수분(水 물 **수** 分 나눌 **분**)
물기. 촉촉한 물의 기운.

약초(藥 약 **약** 草 풀 **초**)
약의 재료로 쓰는 풀.

여물다
과일이나 곡식 등이 딴딴하게 잘 익다.

영양분
(營 경영할 **영** 養 기를 **양** 分 나눌 **분**)
동물이나 식물이 살아가는 데 필요한 에너지를 만드는 성분.

재배(栽 심을 **재** 培 북돋울 **배**)
식물을 심어 가꿈.

흡수(吸 마실 **흡** 水 물 **수**)**하다**
물을 빨아들이다.

뜻을 읽고, 알맞은 낱말을 찾아 선으로 이으세요.

식물을 심어 가꿈.	흡수하다
과일이나 곡식 등이 딴딴하게 잘 익다.	수분
물기. 촉촉한 물의 기운.	재배
물을 빨아들임.	여물다

글을 읽고, 바른 문장이 되도록 알맞은 낱말을 보기 에서 찾아 빈칸에 쓰세요.

보기 농작물 영양분 약초 고랑 밑동

① 효자 도령은 산에서 어머니의 병을 낫게 할 [ ] 를 캤어요.

② 여러 가지 [ ] 을 골고루 섭취해야 몸이 튼튼해져요.

③ 밭에서 [ ] 을 거두어 쌓아 두었어요.

④ 나무를 베어 내자 [ ] 만 덩그러니 남았어요.

⑤ 비가 내리자 밭의 [ ] 을 따라 빗물이 흘러요.

* '섭취'는 '생물이 영양분 등을 몸속에 빨아들이는 일'을 뜻해요.

연상 어휘

그림을 보고, 떠오르는 낱말을 보기 에서 찾아 빈칸에 쓰세요.

보기 한의원 한약

한자어

'수(水)'와 '초(草)'의 뜻을 읽고, 알맞은 낱말을 보기 에서 찾아 빈칸에 쓰세요.

보기 수증기 화초 초원 홍수

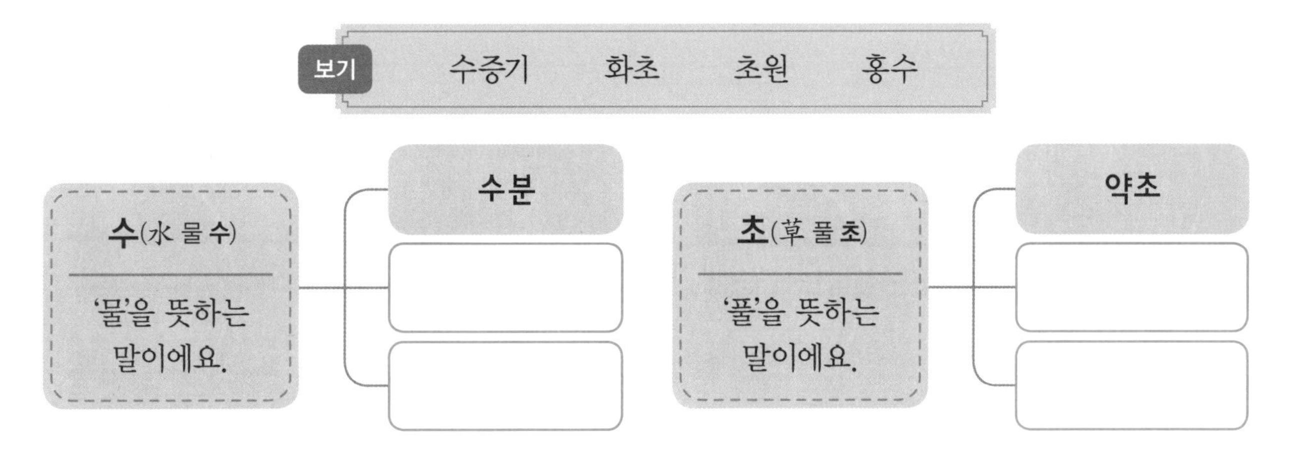

속담

만화를 보고, 상황에 어울리는 속담이 되도록 흐린 글자를 따라 쓰세요.

▶ 속담 '잘 자랄 나무는 떡잎부터 알아본다'는 '잘될 사람은 어려서부터 다른 사람과 다르게 앞으로 커서 성공하거나 잘될 만한 부분이 엿보인다'는 뜻이에요.

스스로 평가

1 주

어휘 그물

3일 곤충

'곤충'과 관련 있는 어휘와 그 뜻을 소리 내어 읽고, 어휘 그물을 살펴보며 빈칸에 알맞은 낱말을 쓰세요.

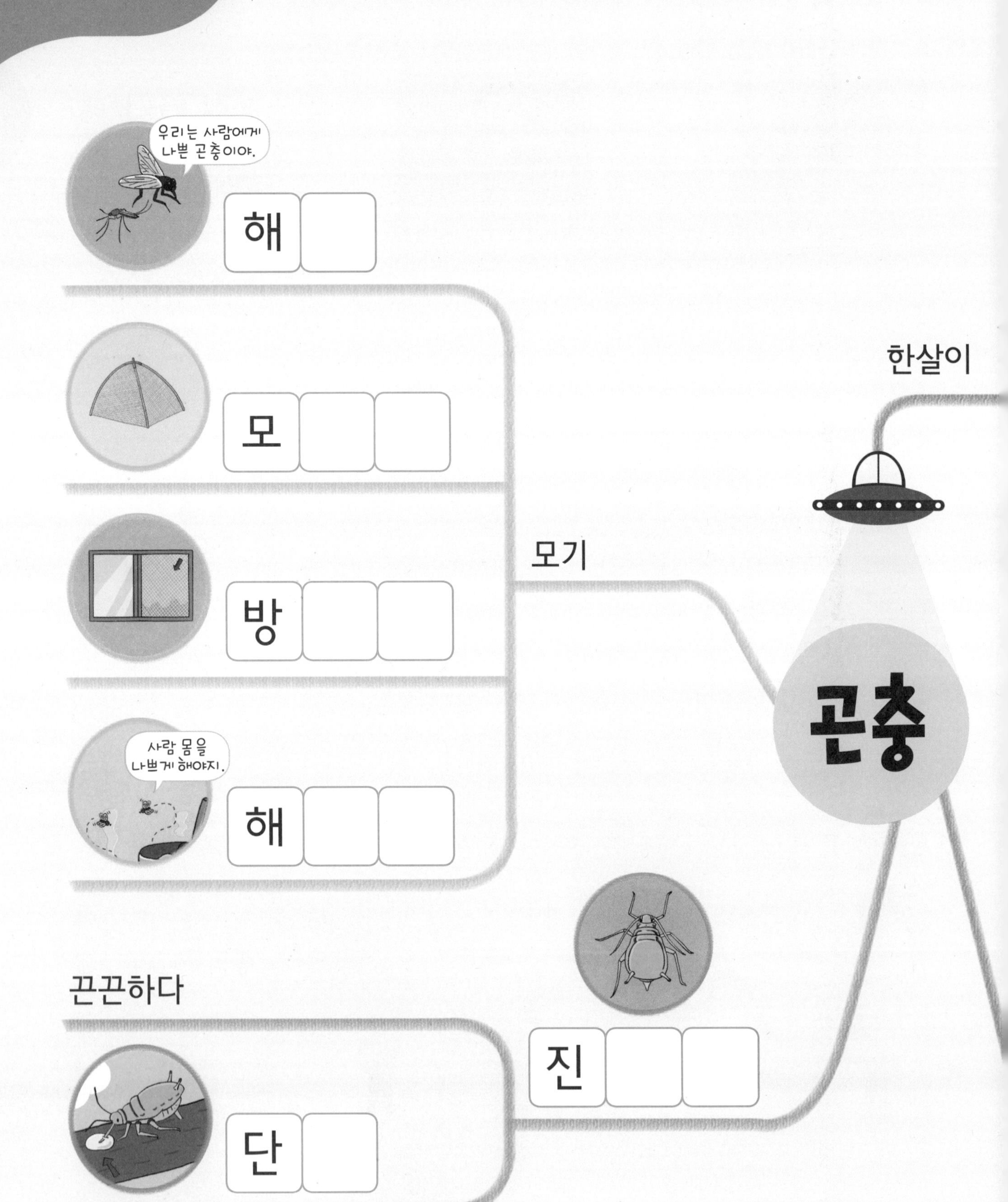

알

애벌레

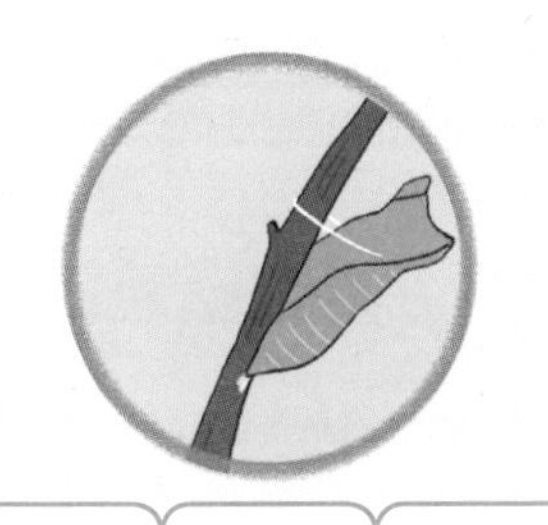

데

허

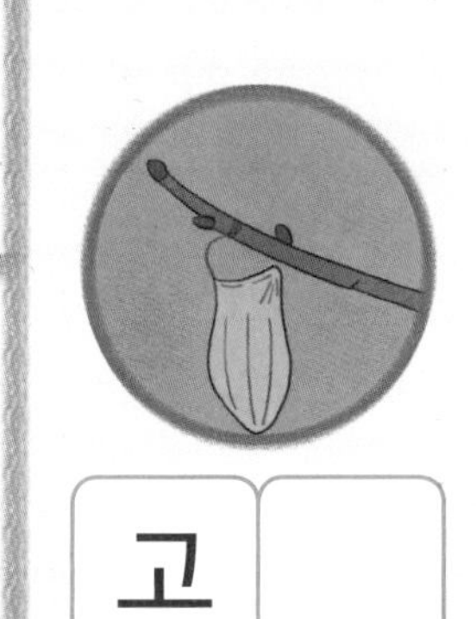

고

어른벌레

꽃

나비

팔랑팔랑

어휘 읽기

고치
곤충이 번데기로 변할 때 스스로 보호하기 위해 실을 내어 지은 집.

단물
단맛이 나는 물.

모기장(帳 장막 **장**)
모기를 막으려고 둘러치는 그물로 된 장막.

방충망
(防 막을 **방** 蟲 벌레 **충** 網 그물 **망**)
해로운 벌레들이 들어오지 못하도록 창문 같은 곳에 치는 망.

번데기
곤충의 애벌레가 어른벌레로 되는 과정 중에 고치 같은 것의 속에 가만히 들어 있는 몸.

진딧물
풀이나 나무의 잎 또는 가지에서 나오는 끈끈한 것을 빨아 먹는 진딧물과의 곤충.

해(害 해로울 **해**)**롭다**
좋지 않거나 나빠지게 되는 점이 있다.

해충(害 해로울 **해** 蟲 벌레 **충**)
사람에게 좋지 않거나 나쁜 영향을 끼치는 벌레.

허물
곤충 등이 자라면서 벗는 껍질.

뜻을 읽고, 알맞은 낱말을 보기 에서 찾아 빈칸에 쓰세요.

보기 모기장 진딧물 고치 번데기 허물

① 풀이나 나무의 잎 또는 가지에서 나오는 끈끈한 것을 빨아 먹는 진딧물과의 곤충. ……… [ ]

② 곤충 등이 자라면서 벗는 껍질. ……… [ ]

③ 곤충의 애벌레가 어른벌레로 되는 과정 중에 고치 같은 것의 속에 가만히 들어 있는 몸. ……… [ ]

④ 모기를 막으려고 둘러치는 그물로 된 장막. ……… [ ]

⑤ 곤충이 번데기로 변할 때 스스로 보호하기 위해 실을 내어 지은 집. ……… [ ]

글을 읽고, (   ) 안에 들어갈 알맞은 낱말을 찾아 선으로 이으세요.

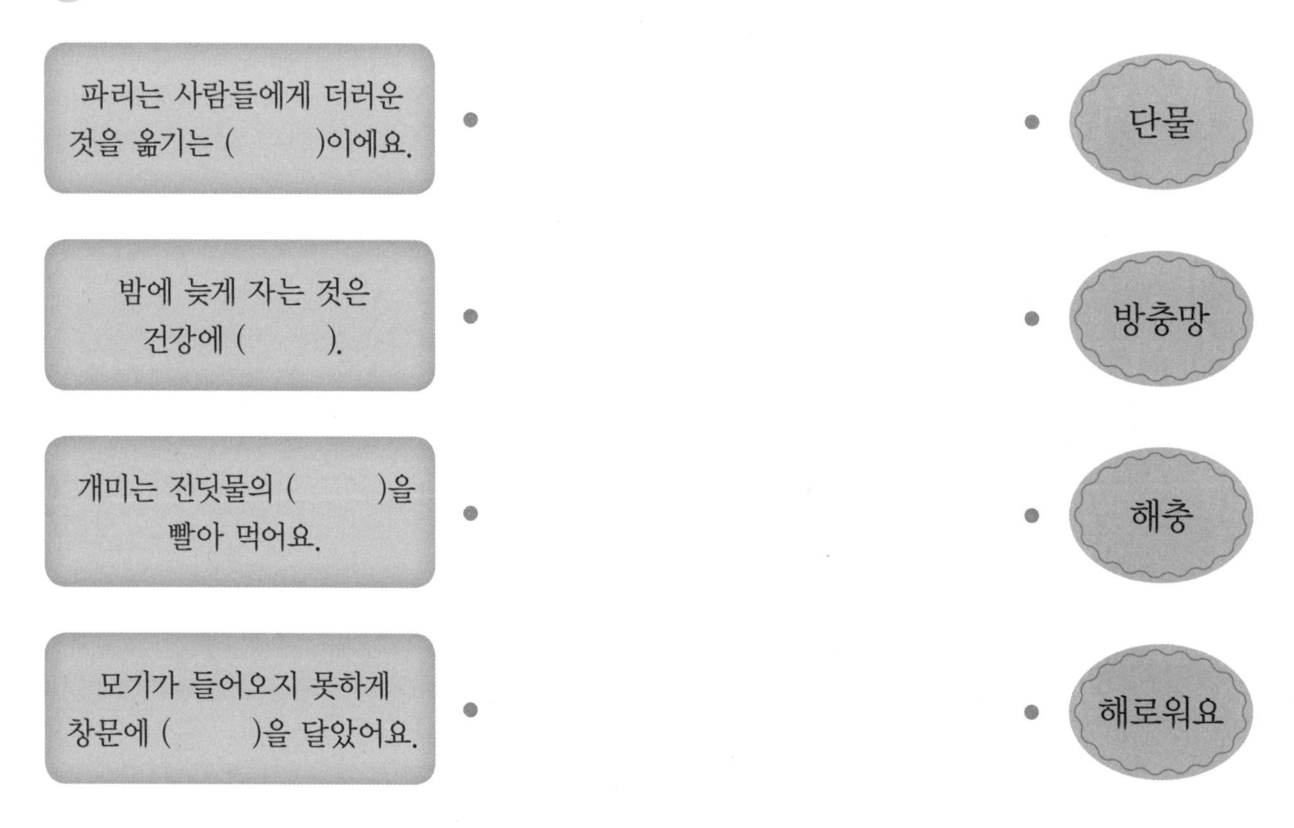

연상 어휘

그림을 보고, 떠오르는 낱말을 보기 에서 찾아 빈칸에 쓰세요.

보기 그물 촘촘하다

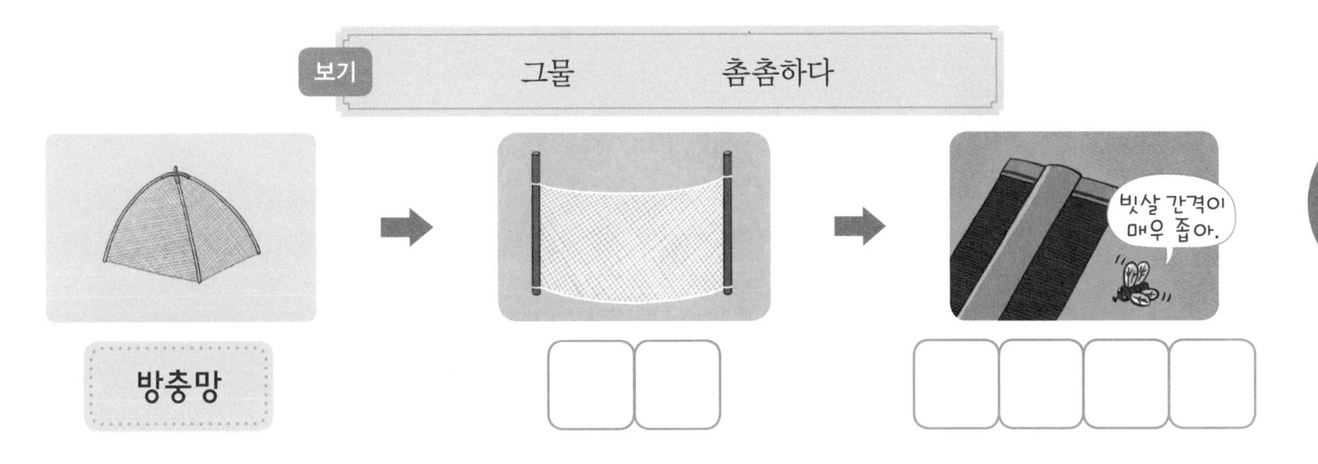

1주

한자어

'충(蟲)'과 '방(防)'의 뜻을 읽고, 알맞은 낱말을 보기 에서 찾아 빈칸에 쓰세요.

보기 곤충 방패 유충 방지

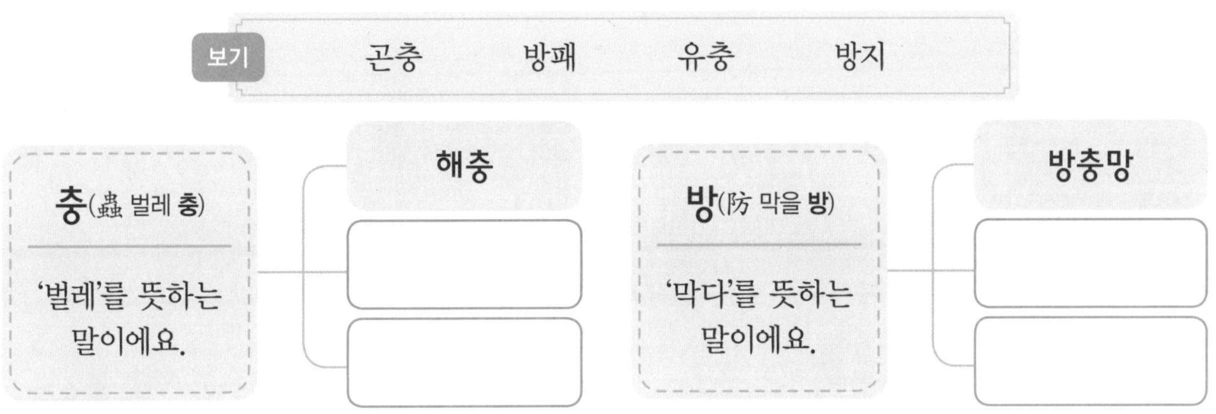

* '유충'은 '애벌레'를, '방지'는 '어떤 일이 일어나지 못하게 막음'을 뜻해요.

속담

만화를 보고, 상황에 어울리는 속담이 되도록 흐린 글자를 따라 쓰세요.

▶ 속담 '벌레도 밟으면 꿈틀한다'는 '아무리 순하거나 참을성이 있는 사람 또는 하찮은 것이라 하더라도 지나치게 괴롭히면 상대에게 맞서게 된다'는 뜻이에요.

스스로 평가

어휘 그물

질병

‘질병’과 관련 있는 어휘와 그 뜻을 소리 내어 읽고, 어휘 그물을 살펴보며 빈칸에 알맞은 낱말을 쓰세요.

내과

안 [ ]

병원

아이들이 아플 때 가는 병원이야.

질병

증 [ ]

예방

감기

주사

어휘 읽기

병균(病 병 **병** 菌 버섯 **균**)
병이 나게 하는 균.

소아 청소년과
(小 작을 **소** 兒 아이 **아** 靑 푸를 **청**
少 적을 **소** 年 해 **년** 科 과목 **과**)
어린아이와 청소년의 병을 살피고
치료하는 곳.

안과(眼 눈 **안** 科 과목 **과**)
눈과 관련 있는 질병을 연구하고
치료하는 곳.

이비인후과(耳 귀 **이** 鼻 코 **비**
咽 목구멍 **인** 喉 목구멍 **후** 科 과목 **과**)
귀, 코, 목구멍 등에 생긴 병을 치료하는 곳.

전염(傳 전할 **전** 染 물들일 **염**)
남에게 병이 옮음.

증세(症 증세 **증** 勢 형세 **세**)
병이 생겼을 때 나타나는 여러 가지
상태나 모양.

진단(診 볼 **진** 斷 끊을 **단**)**하다**
의사가 환자의 병이 어떠한지에 대해
판단하다.

진찰(診 볼 **진** 察 살필 **찰**)
의사가 여러 가지 방법으로 환자의 병이나
상태를 살핌.

처방(處 곳 **처** 方 모 **방**)
병을 낫게 하기 위하여 아픈 상태에 따라
약을 짓는 방법.

뜻을 읽고, 알맞은 낱말을 찾아 선으로 이으세요.

병이 생겼을 때 나타나는 여러 가지 상태나 모양.	진단하다
의사가 환자의 병이 어떠한지에 대해 판단하다.	병균
어린아이와 청소년의 병을 살피고 치료하는 곳.	소아 청소년과
병이 나게 하는 균.	증세

글을 읽고, 바른 문장이 되도록 알맞은 낱말을 보기 에서 찾아 빈칸에 쓰세요.

보기 전염 안과 이비인후과 처방 진찰

① 서영이는 귀가 아파서 [ ]에 가서 진찰을 받았어요.

② 의사 선생님께서 감기약을 [ ]해 주셨어요.

③ 재영이는 [ ]이 되는 병에 걸려서 학교에 갈 수 없어요.

④ 의사 선생님이 청진기로 민우를 [ ]해 주셨어요.

⑤ 유미는 눈이 나빠져서 엄마와 [ ]에 갔어요.

연상 어휘

그림을 보고, 떠오르는 낱말을 보기 에서 찾아 빈칸에 쓰세요.

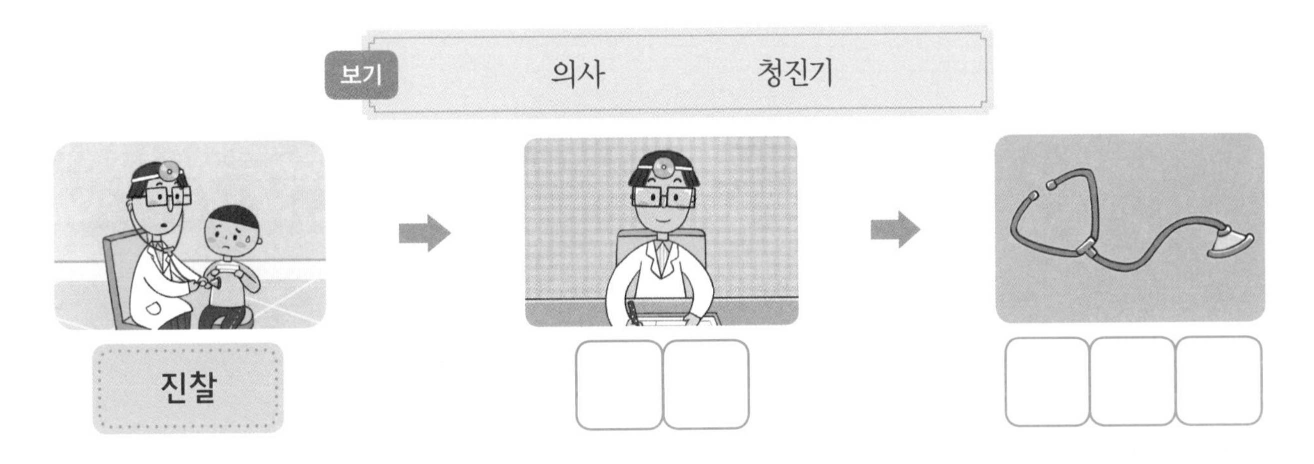

한자어

'병(病)'과 '전(傳)'의 뜻을 읽고, 알맞은 낱말을 보기 에서 찾아 빈칸에 쓰세요.

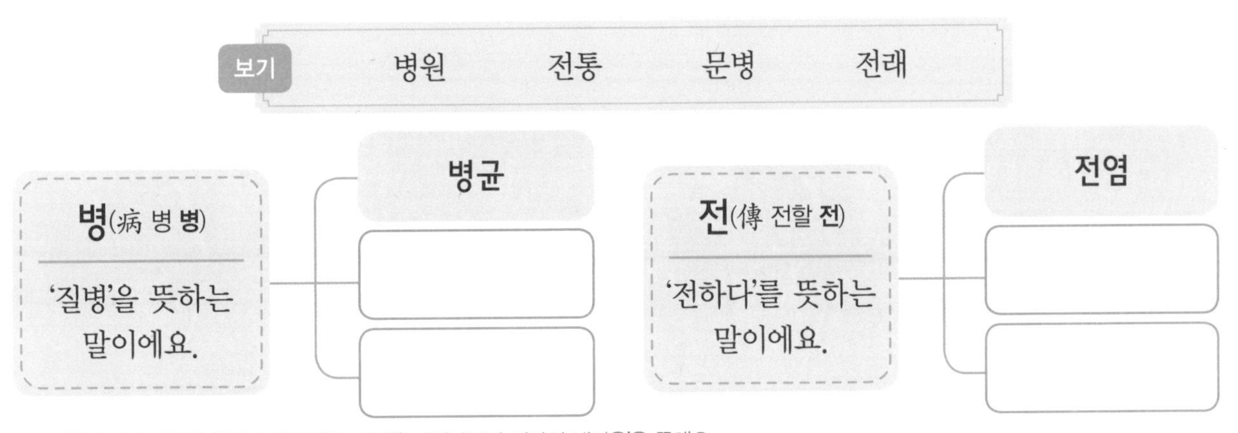

* '문병'은 '아픈 사람을 찾아가 위로함'을, '전래'는 '옛날부터 전하여 내려옴'을 뜻해요.

사자성어

만화를 보고, 상황에 맞는 말이 되도록 ? 안에 알맞은 흐린 글자를 따라 쓰세요.

▶ 사자성어 '동병상련'은 '같은 병을 가진 사람끼리 서로 가엾게 여긴다'는 뜻으로, 비슷한 처지에 있는 사람끼리 서로 안타깝게 생각함을 나타내는 말이에요.

스스로 평가

국어 뜻을 읽고, 알맞은 낱말과 그 낱말이 들어갈 문장을 찾아 선으로 이으세요.

편지를 받고 답을 하는 편지를 보냄. 또는 그 편지.	새의 입 부분.	사람에게 좋지 않거나 나쁜 영향을 끼치는 벌레.	풀이나 나무의 잎 또는 가지에서 나오는 끈끈한 것을 빨아 먹는 진딧물과의 곤충.
해충	진딧물	부리	답장

독수리는 날카로운 (   )를 가지고 있어요.

친구에게 편지를 받고 (   )을 썼어요.

파리는 나쁜 병균을 옮기는 (   )이에요.

나뭇잎 위에 작은 (   )이 기어가고 있어요.

국어 글을 읽고, 바른 문장이 되도록 알맞은 낱말을 보기 에서 찾아 빈칸에 쓰세요.

보기 방충망 사전 수탉 반성 모험

① 모기를 막기 위해 창문에 ______ 을 달았어요.

② 빈이는 자기의 잘못을 깊이 ______ 했어요.

③ 진서는 모르는 단어를 ______ 에서 찾아보았어요.

④ 병아리가 자라서 멋진 볏이 달린 ______ 이 되었어요.

⑤ 준현이는 나중에 외국에 가서 여러 가지 ______ 을 해 보는 것이 꿈이에요.

*'사전'은 '여러 가지 내용을 모아 정해진 순서로 정리하고 각각 풀이하여 설명한 책'을, '반성'은 '자신이 한 말과 행동에 잘못이 없는지 생각해 봄'을, '모험'은 '위험을 참고 견뎌 어떤 일을 함'을 뜻해요.

수학 뜻을 읽고, 알맞은 낱말을 찾아 선으로 이으세요.

어떤 기준에 맞게 바꾸어 정함. •

운동 경기 등의 성적이나 결과를 숫자로 나타낸 것. •

자, 저울 등을 이용하여 길이, 너비, 높이, 깊이 등을 알아보다. •

통합교과 뜻을 읽고, 알맞은 낱말을 보기 에서 찾아 빈칸에 쓰세요.

보기 약초 접종 처방 편식

① 병을 미리 막거나 치료하기 위하여 병균 등을 사람이나 동물의 몸에 넣음. ………… (   )

② 어떤 특정한 음식만을 골라서 즐겨 먹음. ………… (   )

③ 병을 낫게 하기 위하여 아픈 상태에 따라 약을 짓는 방법. ………… (   )

④ 약의 재료로 쓰는 풀. ………… (   )

통합교과 글을 읽고, (   ) 안에 똑같이 들어갈 낱말을 찾아 선으로 이으세요.

손을 잘 씻지 않으면 병에 (   )되기 쉬워요.

준오는 친구의 눈병에 (   )되어 눈이 빨개졌어요.

진아는 세영이의 말에 (   )하지 않았어요.

반 친구들 모두 근아의 의견에 (   )했어요.

동의 전염

*'동의'는 '생각이나 의견을 같이함'을 뜻해요.

이야기를 읽고, 물음에 답하세요.

지운이네 가족은 주말농장에서 토마토와 고추를 키워요. 지운이는 주말농장을 아주 좋아하지요. 주말농장에서는 수탉, 토끼 같은 작은 동물들도 볼 수 있고, 직접 여러 가지 식물을 키울 수도 있으니까요. 지운이는 엄마, 아빠를 따라 식물에 열심히 물도 주고 영양분도 주며 정성껏 식물을 키워요. 진딧물 같은 해충이 생기지 않도록 약도 뿌려 주지요. 지운이는 농작물을 잘 [?]해서 하루 빨리 수확하고 싶은 마음이 굴뚝같답니다. 직접 키운 토마토와 고추를 먹을 생각을 하면 기분이 좋아져서 주말이 오기를 매일매일 기다려요.

1. 뜻을 읽고, 알맞은 낱말을 글 속의 빨간색 낱말 중에서 찾아 빈칸에 쓰세요.

① 사람에게 좋지 않거나 나쁜 영향을 끼치는 벌레. ………………… [ ]

② 동물이나 식물이 살아가는 데 필요한 에너지를 만드는 성분. ……… [ ]

③ 논밭에 심어 가꾸는 곡식이나 채소. ………………………………… [ ]

2. 글 속의 [?] 안에 알맞은 낱말을 찾아 ○ 하세요.

처방	재배	흡수

스스로 평가

이행시랑 삼행시랑

제시된 낱말을 보고 재미있는 이행시 또는 삼행시를 지으세요.

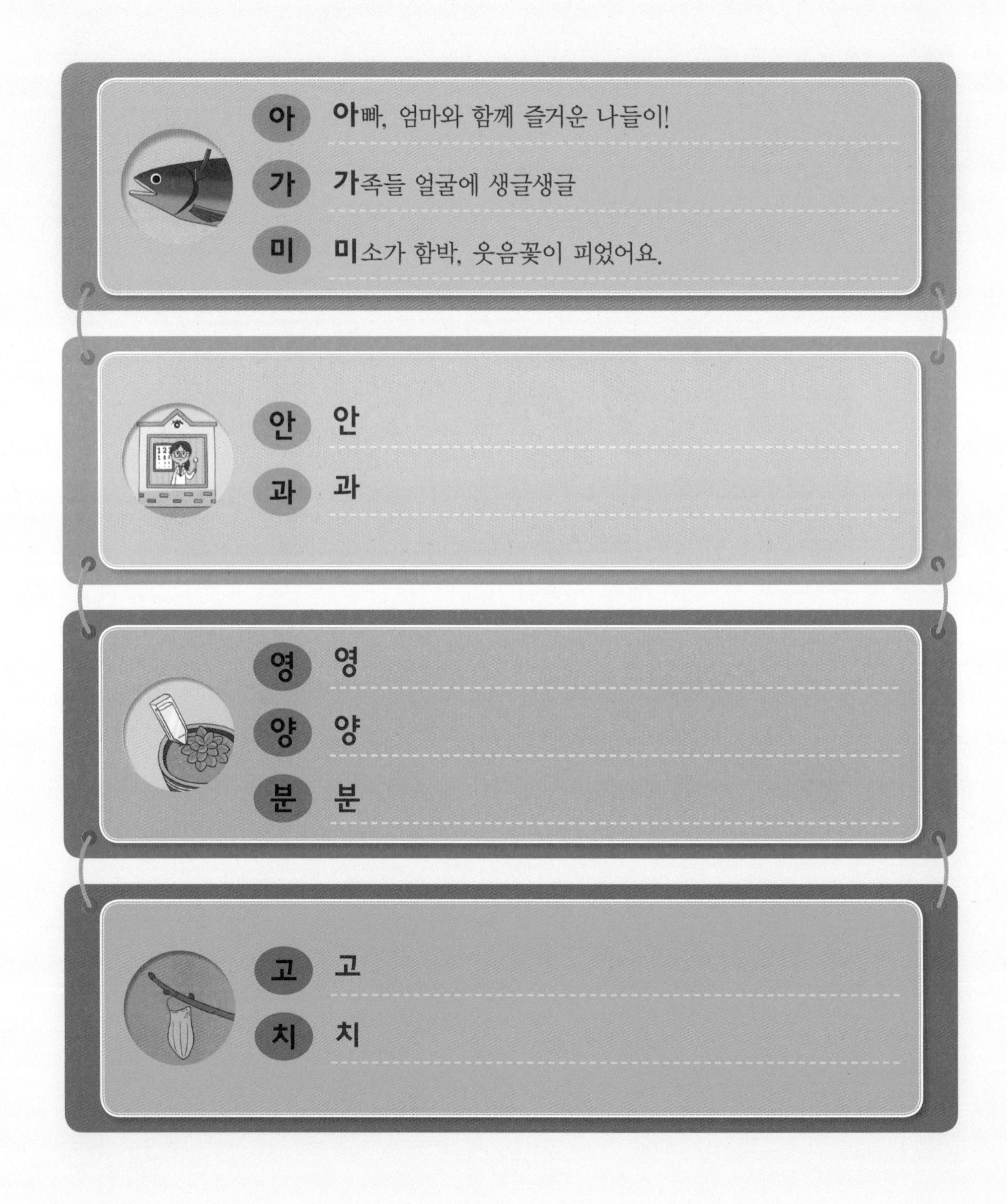

관심 있는 주제를 가운데 동그라미에 쓰고, 어휘들을
자유롭게 적으며 나만의 어휘 그물을 만들어 보세요.

내가 만드는 어휘 그물

1주

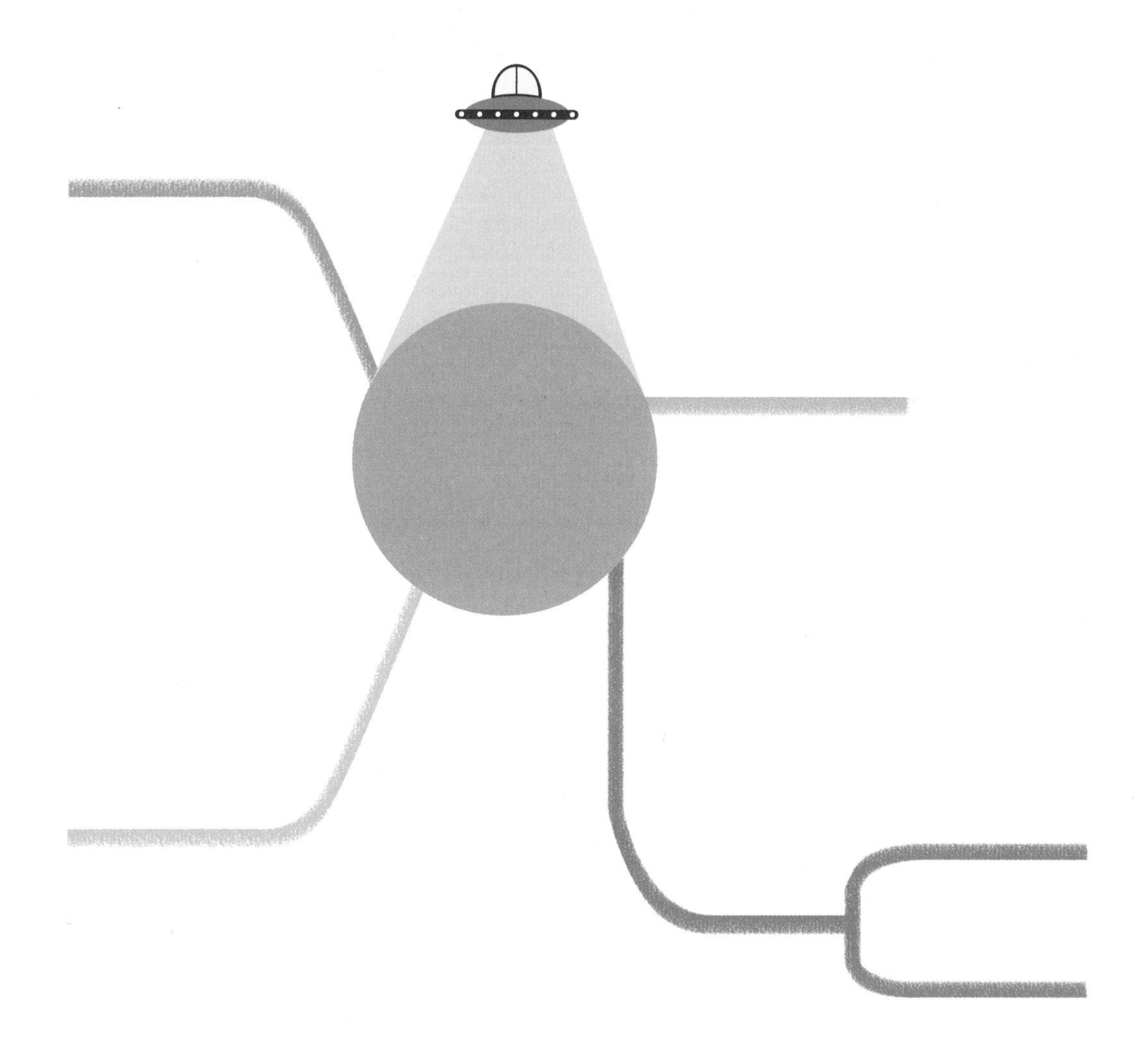

2주

이번 주에 공부할 어휘들이에요.
어휘를 살펴보고,
알고 있는 어휘에 ✓를 하세요.
공부할 날짜를 쓰며
학습 계획도 세워 보세요.

1일 시간

공부할 날 월 일

- ☐ 과거
- ☐ 미래
- ☐ 양력
- ☐ 음력
- ☐ 이듬해
- ☐ 자정
- ☐ 정오
- ☐ 한낮
- ☐ 현재

2일 옛날

공부할 날 월 일

- ☐ 가마
- ☐ 가마솥
- ☐ 궁궐
- ☐ 서당
- ☐ 양반
- ☐ 원님
- ☐ 주막
- ☐ 짚신
- ☐ 훈장

3일 환경

공부할 날 월 일

- [ ] 공해
- [ ] 매연
- [ ] 배출하다
- [ ] 보호하다
- [ ] 분리수거
- [ ] 세제
- [ ] 연료
- [ ] 오염
- [ ] 재활용품

4일 우주

공부할 날 월 일

- [ ] 로켓
- [ ] 발사하다
- [ ] 별똥별
- [ ] 우주선
- [ ] 우주인
- [ ] 위성
- [ ] 은하수
- [ ] 지구
- [ ] 태양계

5일 어휘 복습

공부할 날 월 일

아는 어휘 개 / 모르는 어휘 개

어휘 그물

1일

시간

'시간'과 관련 있는 어휘와 그 뜻을 소리 내어 읽고, 어휘 그물을 살펴보며 빈칸에 알맞은 낱말을 쓰세요.

옛날에는 아기였어.

과 □

현 □

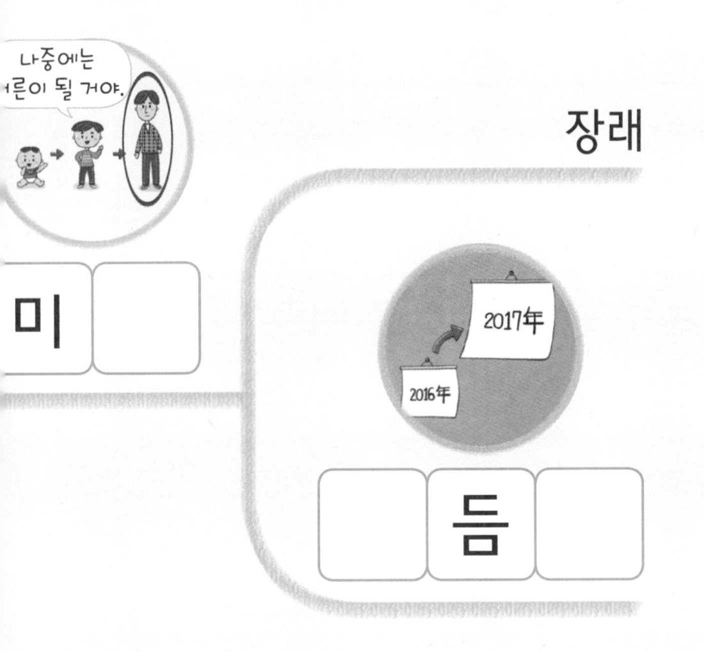

미 □

□ 듬 □

시계

분

초

어휘 읽기

과거(過 지날 **과** 去 갈 **거**)
이미 지나간 때.

미래(未 아닐 **미** 來 올 **래**)
앞으로 다가올 때.

양력(陽 볕 **양** 曆 책력 **력**)
지구가 태양의 둘레를 한 바퀴 도는 데 걸리는 시간을 1년으로 하여 날짜를 정한 것.

음력(陰 그늘 **음** 曆 책력 **력**)
달이 지구를 한 바퀴 도는 데 걸리는 시간을 기준으로 하여 날짜를 정한 것.

이듬해
바로 다음의 해.

자정(子 아들 **자** 正 바를 **정**)
밤 열두 시.

정오(正 바를 **정** 午 낮 **오**)
낮 열두 시.

한낮
낮의 한가운데. 낮 열두 시 무렵.

현재(現 나타날 **현** 在 있을 **재**)
지금의 시간.

1일 어휘 학습

뜻을 읽고, 알맞은 낱말을 보기에서 찾아 빈칸에 쓰세요.

보기 자정 양력 현재 이듬해 정오

① 지구가 태양의 둘레를 한 바퀴 도는 데 걸리는 시간을 1년으로 하여 날짜를 정한 것. ……………… (   )

② 지금의 시간. ……………… (   )

③ 바로 다음의 해. ……………… (   )

④ 밤 열두 시. ……………… (   )

⑤ 낮 열두 시. ……………… (   )

글을 읽고, (   ) 안에 들어갈 알맞은 낱말을 찾아 선으로 이으세요.

( )이 되자 햇볕이 쨍쨍 내리쬐요.	• •	미래
나래는 ( )에 멋진 아나운서가 되는 것이 꿈이에요.	• •	한낮
설날은 ( )으로 1월 1일이에요.	• •	과거
( )에는 자동차가 없어서 말을 타고 다녔어요.	• •	음력

접사 · 한자어

'한'과 '오(午)'의 뜻을 읽고, 알맞은 낱말을 보기 에서 찾아 빈칸에 쓰세요.

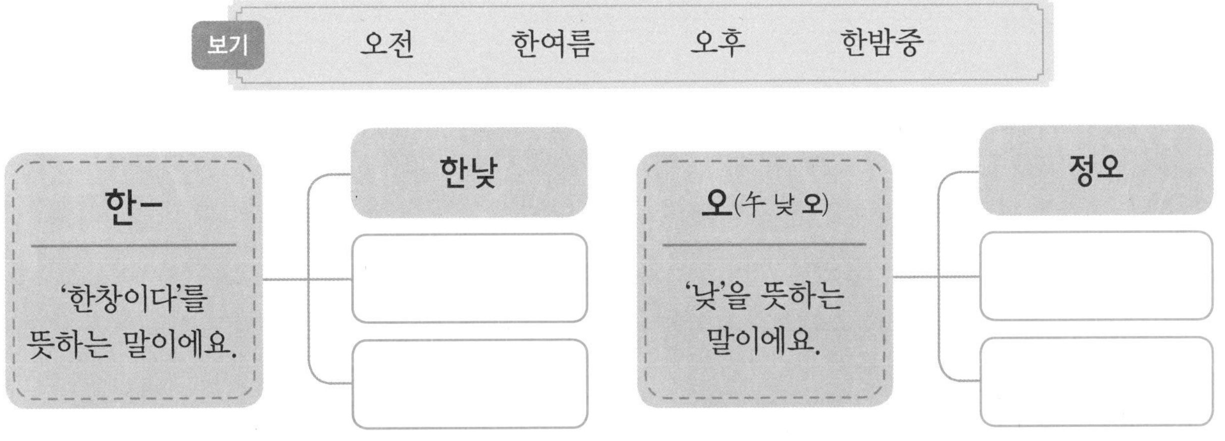

* '한창'은 '어떤 상태가 가장 무르익은 때'를 뜻해요.

반의어

낱말을 읽고, 반대말을 찾아 선으로 이으세요.

속담

만화를 보고, 상황에 어울리는 속담이 되도록 흐린 글자를 따라 쓰세요.

▶속담 '세월이 약'은 '아무리 가슴 아프고 속에 맺혔던 일도 시간이 흐르고 나면 자연스럽게 잊혀진다'는 뜻이에요.

스스로 평가

어휘 그물

2일 옛날

'옛날'과 관련 있는 어휘와 그 뜻을 소리 내어 읽고, 어휘 그물을 살펴보며 빈칸에 알맞은 낱말을 쓰세요.

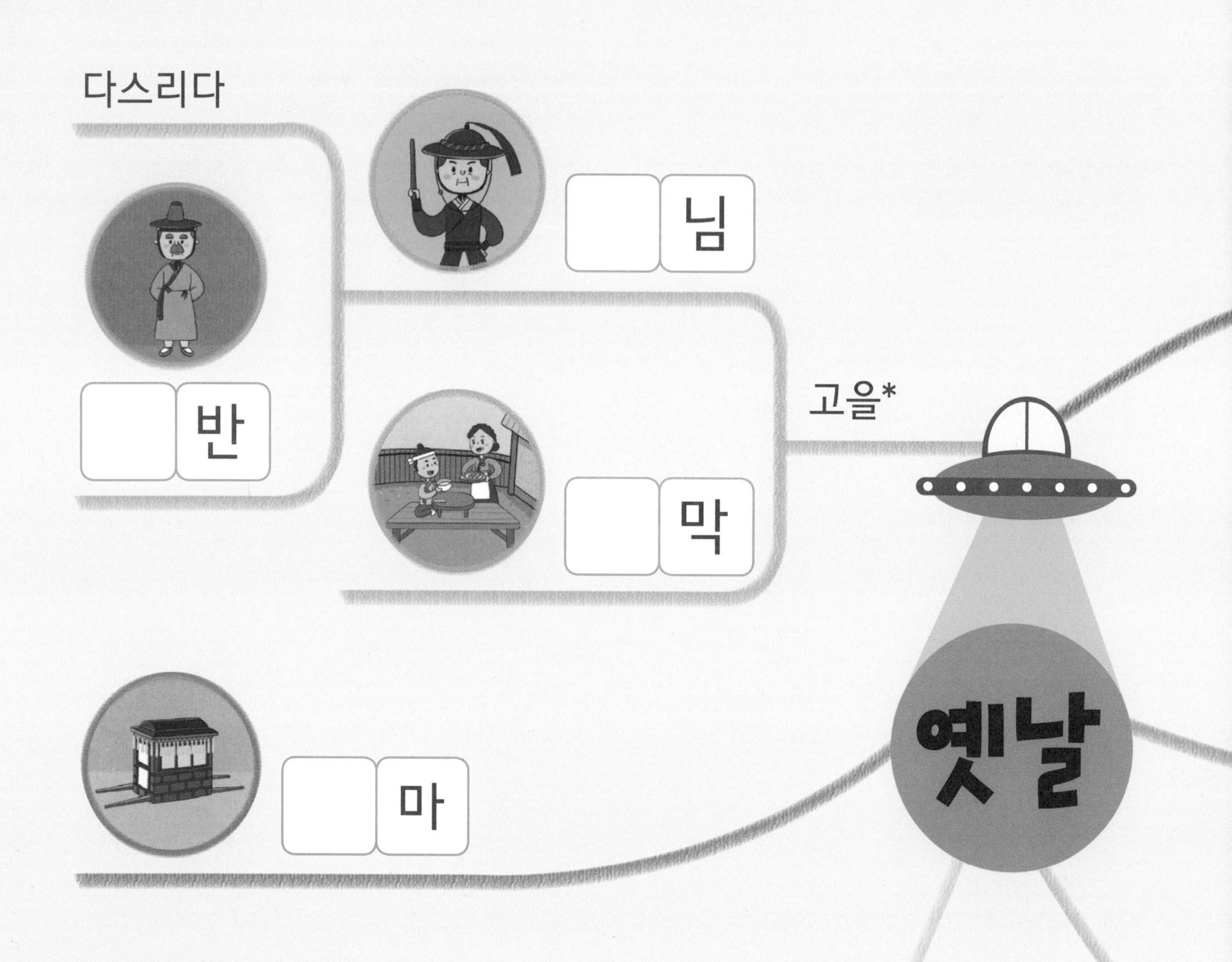

두루마기*

한복

*고을: 조선 시대에 지역을 나누던 단위인 주, 군, 현 등을 함께 나타내는 말.
*두루마기: 주로 밖에 나갈 때 입던 우리나라 고유의 웃옷.

어휘 읽기

가마
조그만 집 모양의 탈것으로, 안에 사람을 태우고 둘이나 넷이 들거나 메던 것.

가마솥
아주 크고 가운데가 움푹 들어간 솥.

궁궐(宮 집 **궁** 闕 대궐 **궐**)
임금이 살며 생활하는 집.

서당(書 글 **서** 堂 집 **당**)
예전에 글을 가르치던 곳.

양반(兩 두 **양** 班 나눌 **반**)
조선 시대에 평민을 다스리던 사람들.

원(員 관원 **원**)**님**
고려·조선 시대에 고을을 다스리던 사람을 높여 부르던 말.

주막(酒 술 **주** 幕 장막 **막**)
시골 길가에서 밥과 술을 팔며, 돈을 받고 나그네를 재워 주던 곳.

짚신
볏짚을 꼬아 만든 신.

훈장(訓 가르칠 **훈** 長 어른 **장**)
서당에서 아이들을 가르치는 선생.

2일 어휘 학습

뜻을 읽고, 알맞은 낱말을 보기 에서 찾아 빈칸에 쓰세요.

보기	원님	짚신	주막	궁궐	가마솥

① 고려·조선 시대에 고을을 다스리던 사람을 높여 부르던 말. ……… [ ]

② 볏짚을 꼬아 만든 신. ……………………………………………… [ ]

③ 임금이 살며 생활하는 집. ……………………………………… [ ]

④ 아주 크고 가운데가 움푹 들어간 솥. ………………………… [ ]

⑤ 시골 길가에서 밥과 술을 팔며, 돈을 받고 나그네를 재워 주던 곳. … [ ]

글을 읽고, (　) 안에 들어갈 알맞은 낱말을 찾아 선으로 이으세요.

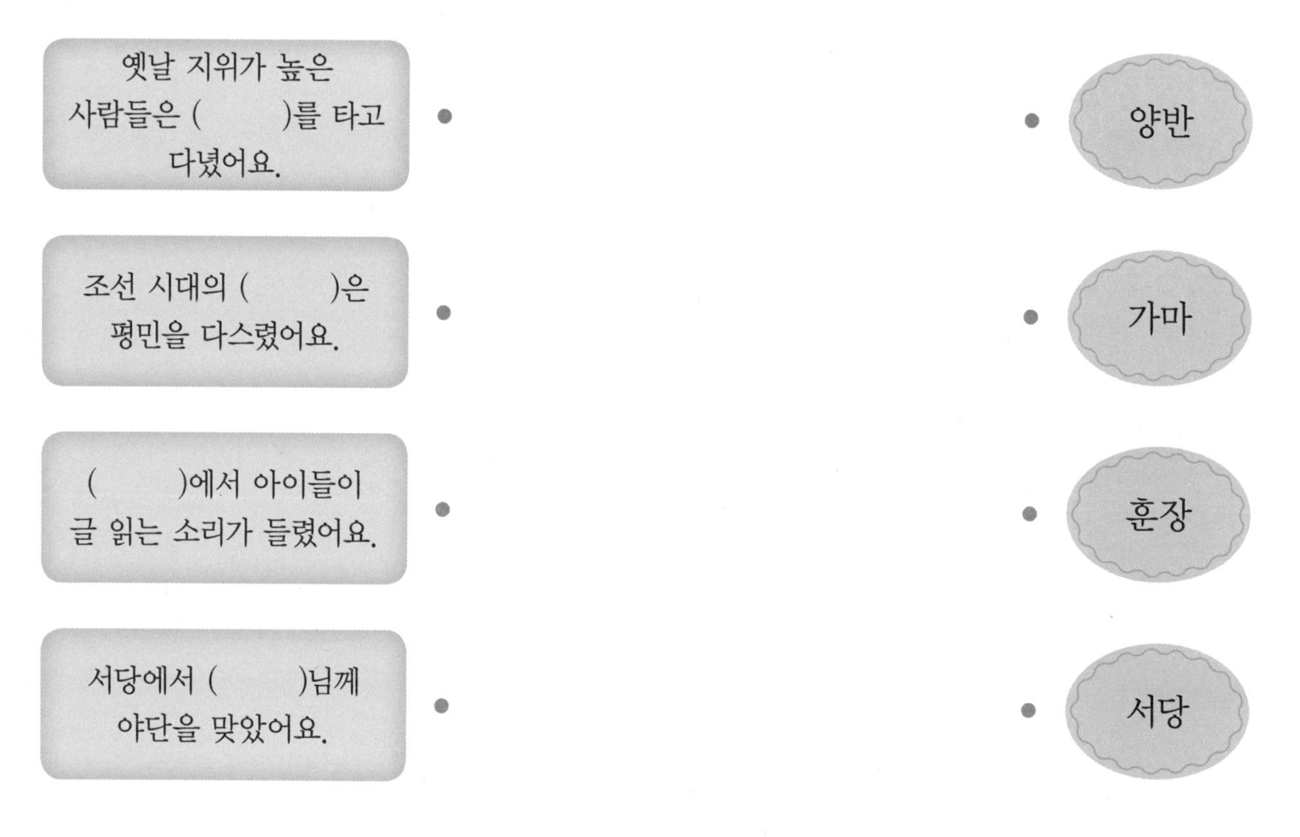

연상 어휘

그림을 보고, 떠오르는 낱말을 보기 에서 찾아 빈칸에 쓰세요.

보기 회초리 꾸중

한자어

'훈(訓)'과 '당(堂)'의 뜻을 읽고, 알맞은 낱말을 보기 에서 찾아 빈칸에 쓰세요.

보기 강당 가훈 교훈 성당

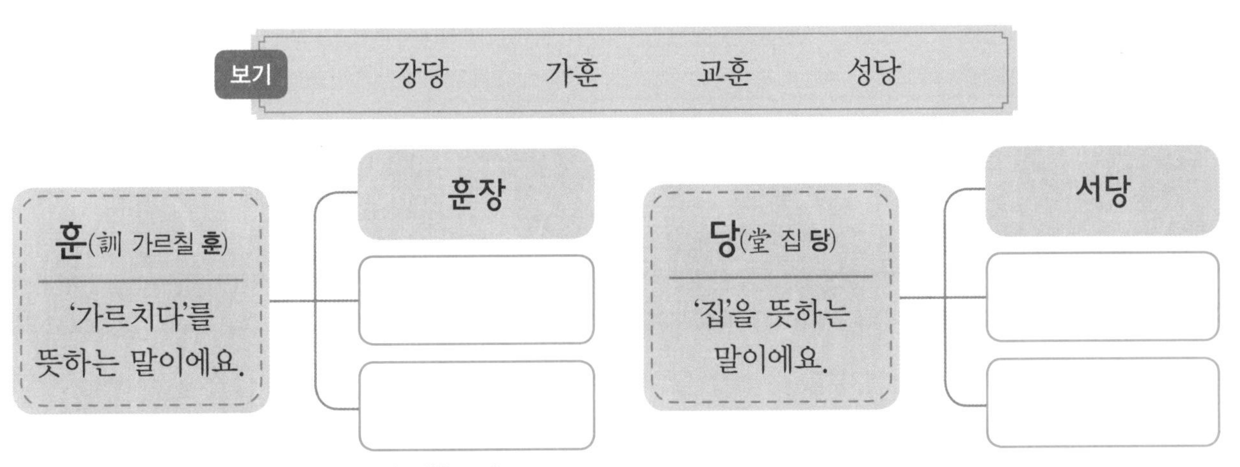

* '교훈'은 '학교의 목표를 간단하게 나타낸 짧은 말'을 뜻해요.

속담

만화를 보고, 상황에 어울리는 속담이 되도록 흐린 글자를 따라 쓰세요.

▶속담 '옛말 그른 데 없다'는 '예로부터 전하여 오는 말은 잘못된 것이 없으니 마음에 새겨야 한다'는 뜻이에요.

스스로 평가

어휘 그물

3일

환경

'환경'과 관련 있는 어휘와 그 뜻을 소리 내어 읽고, 어휘 그물을 살펴보며 빈칸에 알맞은 낱말을 쓰세요.

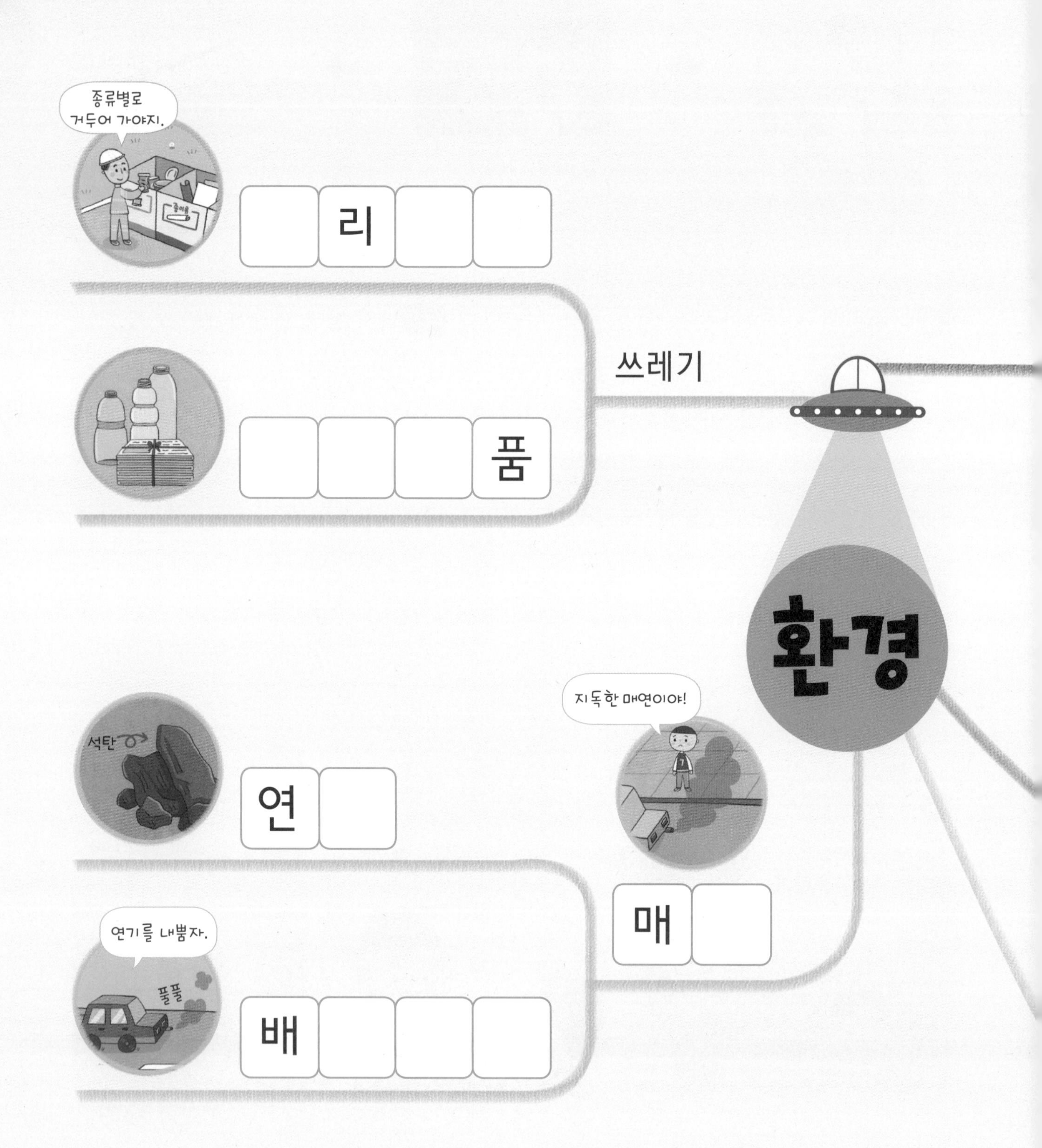

더럽다

오 [ ]

세 [ ]

어휴, 지독해.

[ ] 해

보존하다*

보 [ ] [ ] [ ]

***보존하다**: 잘 보호하여 남기다.

어휘 읽기

공해(公 공평할 **공** 害 해로울 **해**)
산업이나 교통이 발달하면서 사람이나 생물이 받는 여러 가지 피해.

매연(煤 그을음 **매** 煙 연기 **연**)
연료가 탈 때 나오는, 검은 가루가 섞인 연기.

배출(排 밀칠 **배** 出 나갈 **출**)**하다**
안에서 밖으로 밀어 내보내다.

보호(保 지킬 **보** 護 지킬 **호**)**하다**
잘 지켜 원래대로 남겨지게 하다.

분리수거(分 나눌 **분** 離 떠날 **리** 收 거둘 **수** 去 갈 **거**)
쓰레기 등을 종류별로 나누어서 늘어놓은 것을 거두어 감.

세제(洗 씻을 **세** 劑 약제 **제**)
비누와 같이 물에 섞어서 더러운 것을 씻어 내는 데 쓰는 것.

연료(燃 탈 **연** 料 헤아릴 **료**)
불에 태워서 빛과 열을 이용해 에너지를 얻을 수 있는 물질. 석탄, 연탄, 숯 등이 있음.

오염(汚 더러울 **오** 染 물들 **염**)
더러운 것으로 물듦.

재활용품(再 두 번 **재** 活 살 **활** 用 쓸 **용** 品 물건 **품**)
못 쓰는 물건 중 쓰이는 곳을 바꾸거나 처리하여 다시 사용할 수 있는 것.

3일 어휘 학습

뜻을 읽고, 알맞은 낱말을 찾아 선으로 이으세요.

- 비누와 같이 물에 섞어서 더러운 것을 씻어 내는 데 쓰는 것.
- 불에 태워서 빛과 열을 이용해 에너지를 얻을 수 있는 물질. 석탄, 연탄, 숯 등이 있음.
- 산업이나 교통이 발달하면서 사람이나 생물이 받는 여러 가지 피해.
- 못 쓰는 물건 중 쓰이는 곳을 바꾸거나 처리하여 다시 사용할 수 있는 것.

- 공해
- 연료
- 재활용품

글을 읽고, 바른 문장이 되도록 알맞은 낱말을 보기 에서 찾아 빈칸에 쓰세요.

보기: 보호 분리수거 배출하는 오염 매연

① 환경을 ☐ 하기 위해 매연이 나오지 않는 전기 자동차를 개발했어요.

② 강에 쓰레기를 버리면 강물이 ☐ 돼요.

③ 병은 병끼리, 종이는 종이끼리 ☐ 를 해야 해요.

④ 자동차가 달릴 때에는 검은 ☐ 이 나와요.

⑤ 공장에서 함부로 더러운 물을 ☐ 것을 막아야 해요.

연상 어휘

그림을 보고, 떠오르는 낱말을 보기 에서 찾아 빈칸에 쓰세요.

보기 석유 절약하다

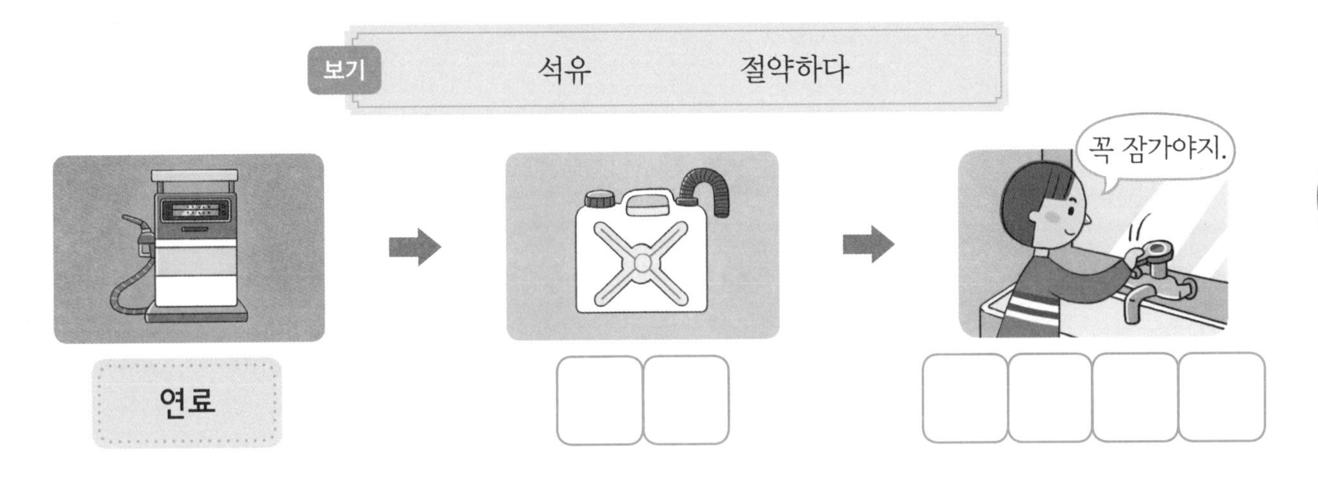

한자어

'세(洗)'와 '보(保)'의 뜻을 읽고, 알맞은 낱말을 보기 에서 찾아 빈칸에 쓰세요.

보기 보관 보존하다 세수 세탁

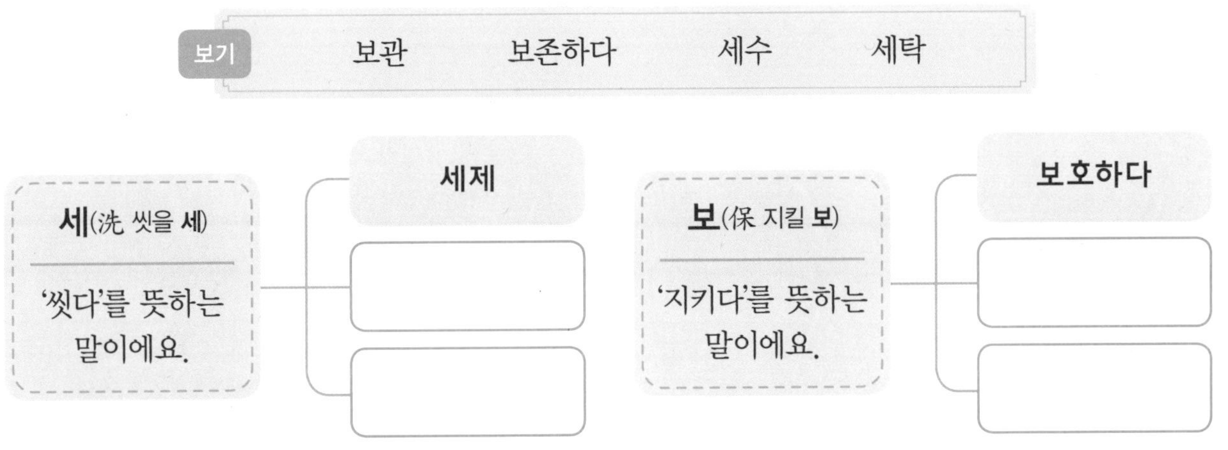

*'보관'은 '물건을 맡아서 간직하고 관리함'을 뜻해요.

사자성어

만화를 보고, 상황에 맞는 말이 되도록 ? 안에 알맞은 흐린 글자를 따라 쓰세요.

▶'금수강산'은 '비단에 수를 놓은 것처럼 아름다운 산과 하천'이라는 뜻으로, 우리나라의 자연을 뜻해요.

스스로 평가

2주

어휘 그물

우주

'우주'와 관련 있는 어휘와 그 뜻을 소리 내어 읽고, 어휘 그물을 살펴보며 빈칸에 알맞은 낱말을 쓰세요.

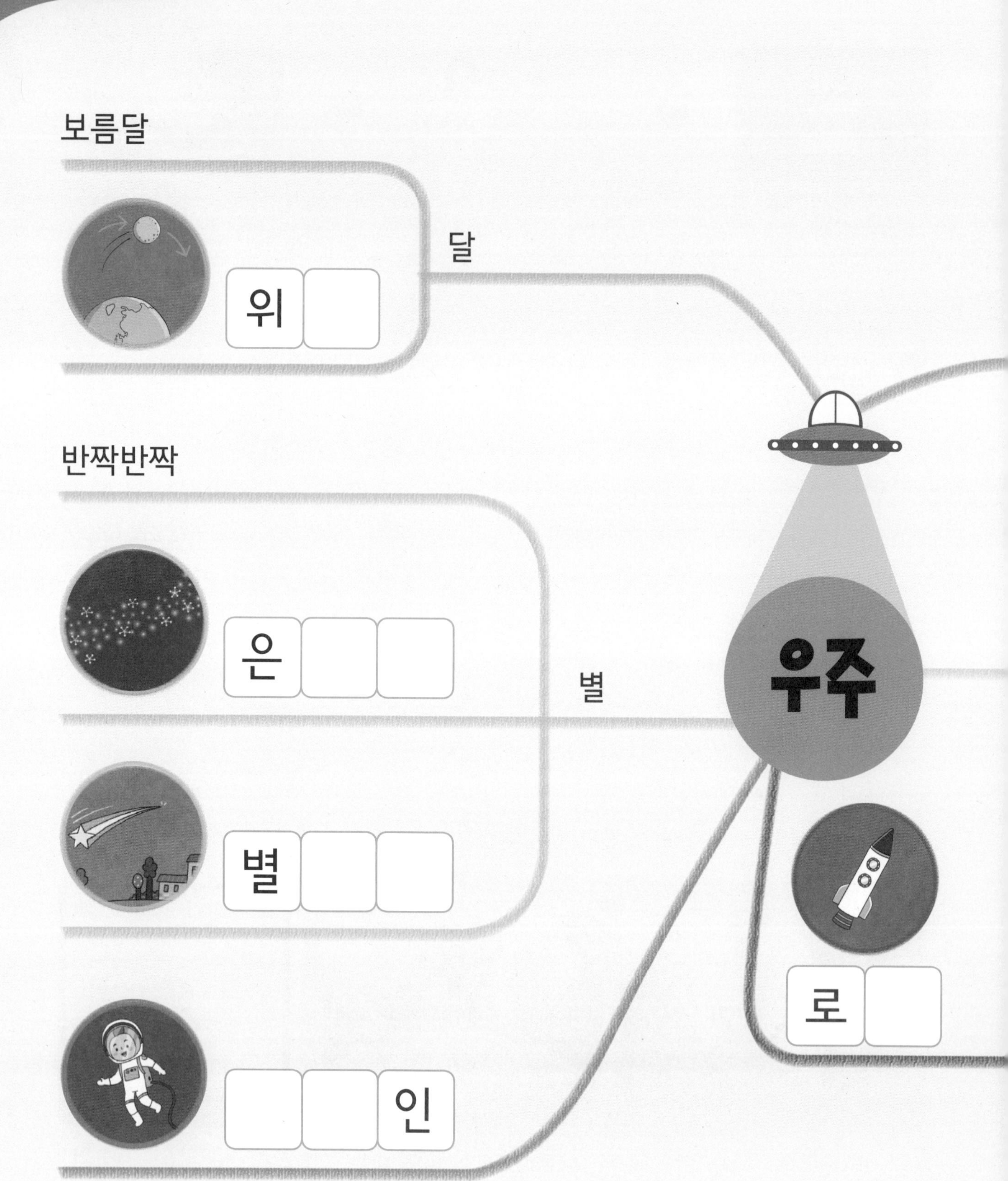

공부한 날 월 일

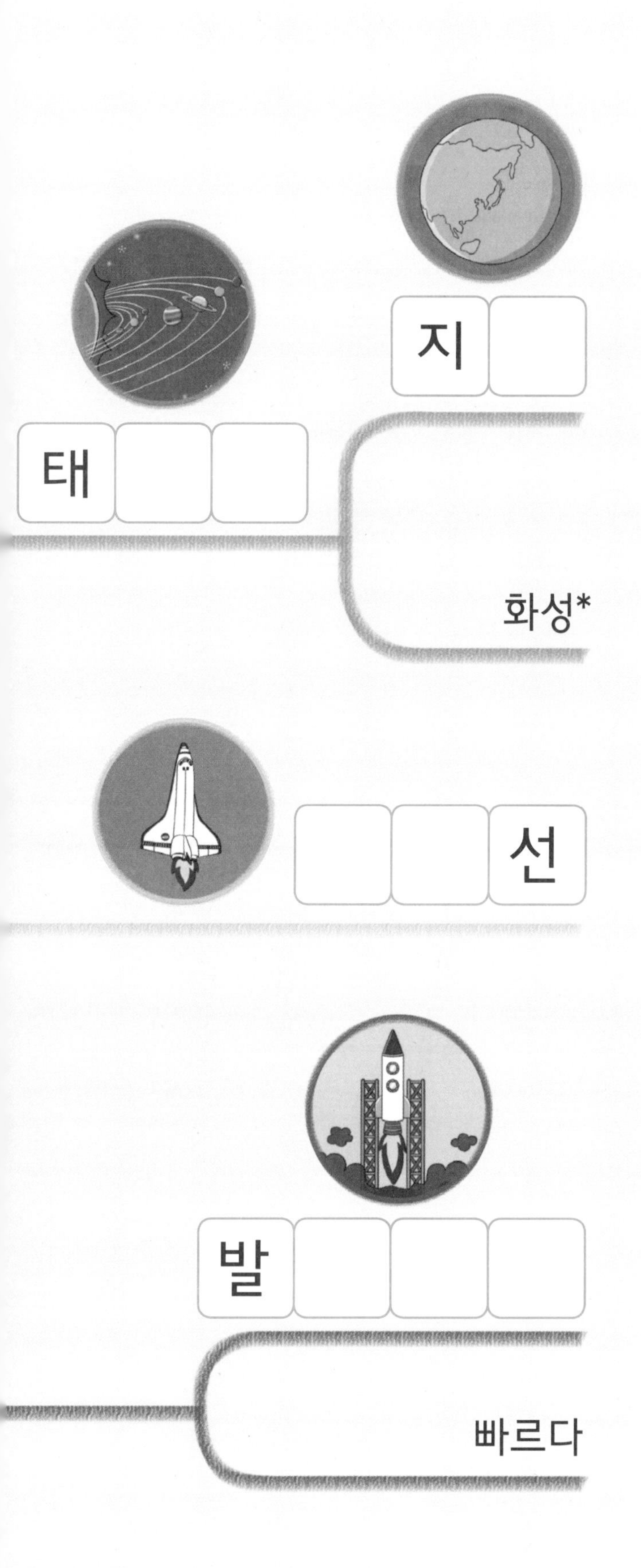

*화성: 태양에서 넷째로 가까운 행성.

어휘 읽기

로켓
높은 압력의 뜨거운 가스를 내뿜어
그 힘으로 나아가는 비행 물체.

발사(發 필 **발** 射 쏠 **사**)**하다**
활, 총, 로켓이나 빛 등을 쏘다.

별똥별
지구를 둘러싼 공기 안으로 들어와
빛을 내며 떨어지는 작은 물체.

우주선(宇 집 **우** 宙 집 **주** 船 배 **선**)
우주 공간을 날아다니기 위한 비행 물체.

우주인
(宇 집 **우** 宙 집 **주** 人 사람 **인**)
우주에 가기 위하여 특별한 훈련을
받은 비행사.

위성(衛 지킬 **위** 星 별 **성**)
지구와 같은 행성이 끌어당기는 힘에
의하여 그 둘레를 도는 별.

은하수(銀 은 **은** 河 물 **하** 水 물 **수**)
띠 모양으로 길게 퍼져 있는 수많은
별들을 강에 빗대어 나타낸 말.

지구(地 땅 **지** 球 공 **구**)
태양에서 셋째로 가까우며 사람이 살고
있는 행성.

태양계(太 클 **태** 陽 볕 **양** 系 맬 **계**)
태양과 태양을 중심으로 도는 별들의 무리.

4일 어휘 학습

뜻을 읽고, 알맞은 낱말을 보기에서 찾아 빈칸에 쓰세요.

보기 | 은하수 | 별똥별 | 태양계 | 우주선 | 발사하다

① 우주 공간을 날아다니기 위한 비행 물체. ························

② 지구를 둘러싼 공기 안으로 들어와 빛을 내며 떨어지는 작은 물체. ···

③ 띠 모양으로 길게 퍼져 있는 수많은 별들을 강에 빗대어 나타낸 말. ························

④ 활, 총, 로켓이나 빛 등을 쏘다. ························

⑤ 태양과 태양을 중심으로 도는 별들의 무리. ························

글을 읽고, ( ) 안에 들어갈 알맞은 낱말을 찾아 선으로 이으세요.

우리가 사는 별 이름은 ( )예요.	• •	위성
( )이 되려면 힘든 훈련을 받아야 해요.	• •	로켓
달은 지구의 ( )이에요.	• •	우주인
( )이 불을 내뿜으며 발사 준비를 하고 있어요.	• •	지구

유의어

낱말을 읽고, 비슷한말을 찾아 선으로 이으세요.

별똥별 •　　　　　　　　• 쏘다

발사하다 •　　　　　　　　• 유성

한자어

'인(人)'과 '선(船)'의 뜻을 읽고, 알맞은 낱말을 보기 에서 찾아 빈칸에 쓰세요.

보기 거북선 외국인 여객선 한국인

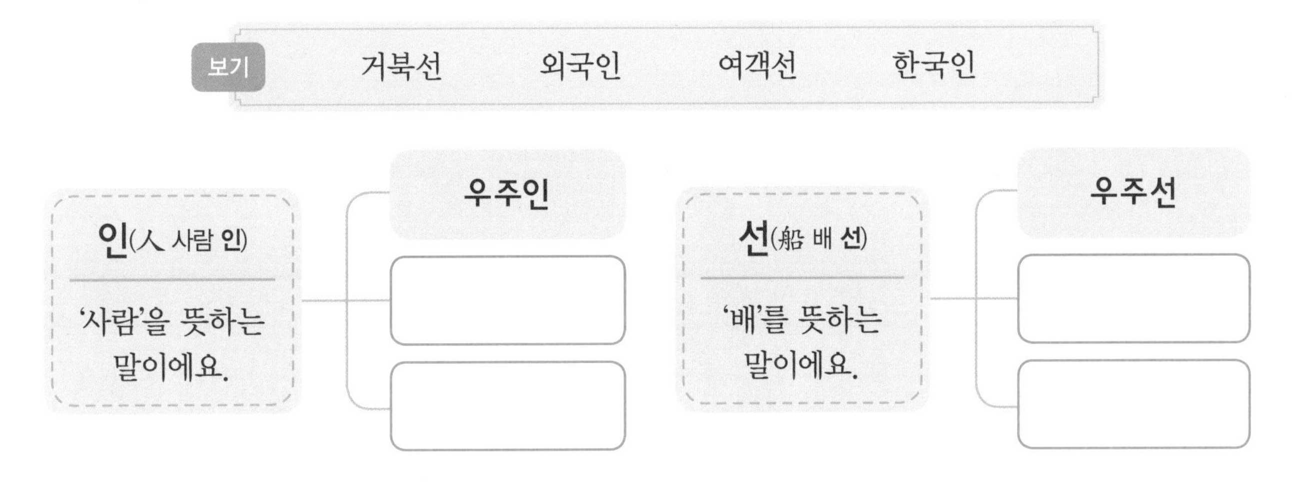

속담

만화를 보고, 상황에 어울리는 속담이 되도록 흐린 글자를 따라 쓰세요.

▶속담 '하늘의 별 따기'는 '무엇을 얻거나 이루기가 매우 어려운 경우'를 빗대어 나타내는 말이에요.

스스로 평가

국어 낱말을 읽고, 알맞은 뜻을 찾아 선으로 이으세요.

국어 글을 읽고, 바른 문장이 되도록 알맞은 낱말을 보기 에서 찾아 빈칸에 쓰세요.

보기 결과 양반 방해 재활용품

① 수연이의 연필꽂이는 빈 우유갑으로 만든 [ ] 이에요.

② 주호는 친구의 공부를 [ ] 하다가 선생님께 꾸중을 들었어요.

③ 옛날 [ ] 들은 모두 한문을 공부했어요.

④ 시원이는 열심히 공부해서 시험에서 좋은 [ ] 를 얻었어요.

*'결과'는 '어떤 원인으로 생긴 결말'을, '방해'는 '남의 일을 간섭하고 막아 해를 끼침'을 뜻해요.

국어 뜻을 읽고, 알맞은 낱말을 보기 에서 찾아 쓰세요.

보기 세제 광선 토박이말 입원 보름

① 15일 동안. ················ ( )

② 아프거나 다친 사람이 병을 고치기 위하여 얼마 동안 병원에 들어가 머무르며 치료를 받는 것. ················ ( )

③ 비누와 같이 물에 섞어서 더러운 것을 씻어 내는 데 쓰는 것. ········ ( )

④ 빛의 줄기. ················ ( )

⑤ 본래부터 있던 말이나 그것을 바탕으로 새로 만들어진 말. ·········· ( )

수학 그림을 보고, 알맞은 낱말을 보기 에서 찾아 빈칸에 쓰세요.

보기 오전 오후

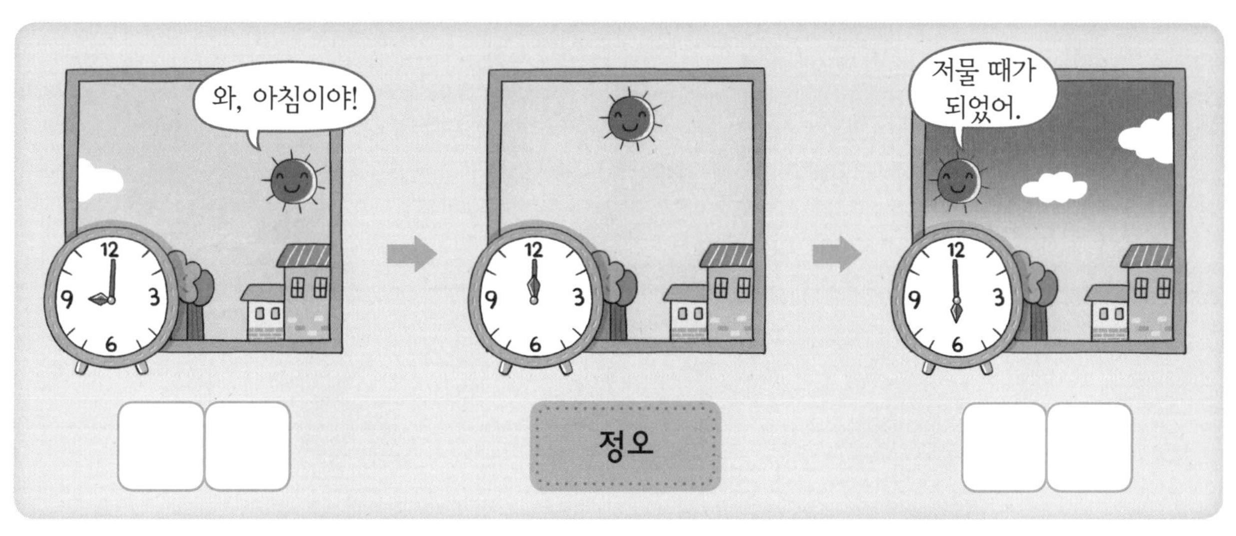

*'오전'은 '해가 뜰 때부터 낮 열두 시까지의 시간'을, '오후'는 '낮 열두 시부터 해가 질 때까지의 시간'을 뜻해요.

5일 어휘 복습

통합교과 뜻을 읽고, 알맞은 낱말을 보기에서 찾아 빈칸에 쓰세요.

보기 비행 적응 탑승객 공장

① 원료나 재료를 이용해 물건을 만들어 내는 기계가 있는 곳. ··········

② 어떠한 조건이나 환경에 맞추어 변하거나 알맞게 됨. ··········

③ 공중으로 날아가거나 날아다님. ··········

④ 배나 비행기, 차 등에 탄 손님. ··········

통합교과 글을 읽고, (   ) 안에 똑같이 들어갈 낱말을 찾아 선으로 이으세요.

귀중한 물건은 잘 ( )해야 해요.	정수는 물건을 사물함에 ( )했어요.	수원이네 가족은 여행을 어디로 갈지 ( )해요.	송아네 반에서는 어려운 친구를 돕는 방법을 ( )했어요.

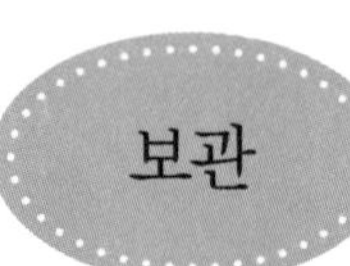

*'의논'은 '어떤 일에 대하여 서로 생각을 주고받음'을 뜻해요.

이야기를 읽고, 물음에 답하세요.

과거 우리나라의 모습은 오늘날과는 많이 달랐어요. 기와집이나 초가집에서 살며 가마솥에 밥을 짓고, 한복을 입고 짚신을 신었지요. 하지만 지금은 많은 사람들이 높은 아파트에 살며 가스레인지로 요리를 해요. 옷과 신발도 티셔츠, 블라우스, 운동화 등 종류가 매우 다양해졌어요. 또 과학 기술도 크게 발달했지요. 그래서 먼 우주로 로켓을 발사하기도 하고, 우주인이 우주선을 타고 우주에 가기도 하지요. [?]에는 또 얼마나 많은 것이 달라질지 궁금하지 않나요?

1. 뜻을 읽고, 알맞은 낱말을 글 속의 빨간색 낱말 중에서 찾아 빈칸에 쓰세요.

① 볏짚을 꼬아 만든 신. ······ [ ]

② 이미 지나간 때. ······ [ ]

③ 우주에 가기 위하여 특별한 훈련을 받은 비행사. ······ [ ]

2. 글 속의 [?] 안에 알맞은 낱말을 찾아 ○ 하세요.

정오 미래 오염

스스로 평가

요리조리 길 찾기

▢ 안의 뜻을 읽고, 알맞은 낱말이 쓰여 있는 길을 따라 줄을 그으세요.

관심 있는 주제를 가운데 동그라미에 쓰고, 어휘들을 자유롭게 적으며 나만의 어휘 그물을 만들어 보세요.

내가 만드는 어휘 그물

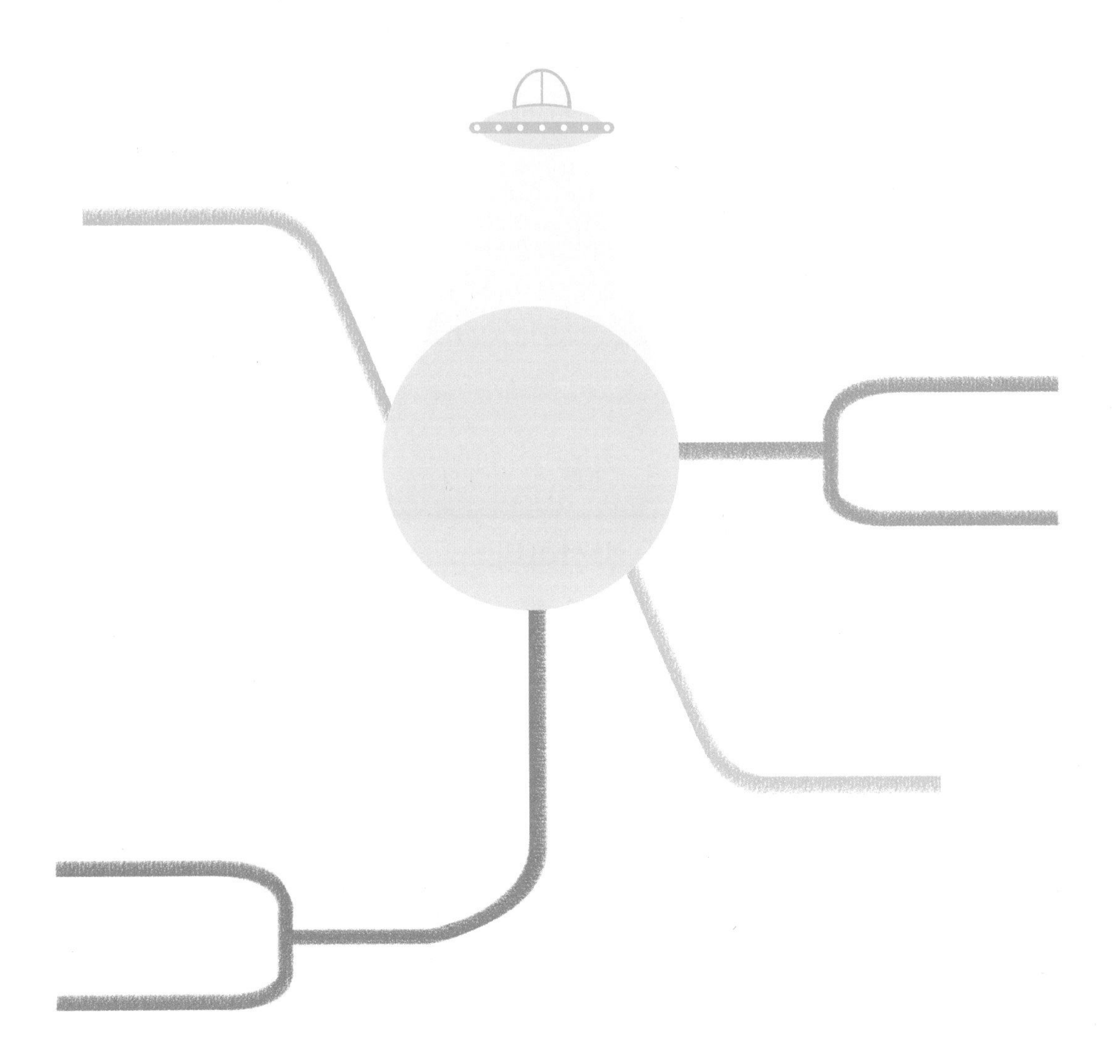

3주

이번 주에 공부할 어휘들이에요.
어휘를 살펴보고,
알고 있는 어휘에 ✓를 하세요.
공부할 날짜를 쓰며
학습 계획도 세워 보세요.

1일 도구

공부할 날 월 일

- [ ] 기계
- [ ] 기술
- [ ] 나사
- [ ] 망원경
- [ ] 발전하다
- [ ] 엔진
- [ ] 이용하다
- [ ] 지렛대
- [ ] 현미경

2일 음악

공부할 날 월 일

- [ ] 가사
- [ ] 관악기
- [ ] 국악
- [ ] 민요
- [ ] 악보
- [ ] 오케스트라
- [ ] 작곡
- [ ] 장단
- [ ] 합주

3일 미술

공부할 날 월 일

- [ ] 감상하다
- [ ] 건축
- [ ] 공예
- [ ] 민화
- [ ] 벽화
- [ ] 서예
- [ ] 작품
- [ ] 전시하다
- [ ] 창작

4일 세계

공부할 날 월 일

- [ ] 대륙
- [ ] 동양
- [ ] 만국기
- [ ] 서양
- [ ] 아시아
- [ ] 아프리카
- [ ] 여권
- [ ] 외국인
- [ ] 유럽

5일 어휘 복습

공부할 날 월 일

아는 어휘 개 / 모르는 어휘 개

어휘 그물

1일

도구

'도구'와 관련 있는 어휘와 그 뜻을 소리 내어 읽고, 어휘 그물을 살펴보며 빈칸에 알맞은 낱말을 쓰세요.

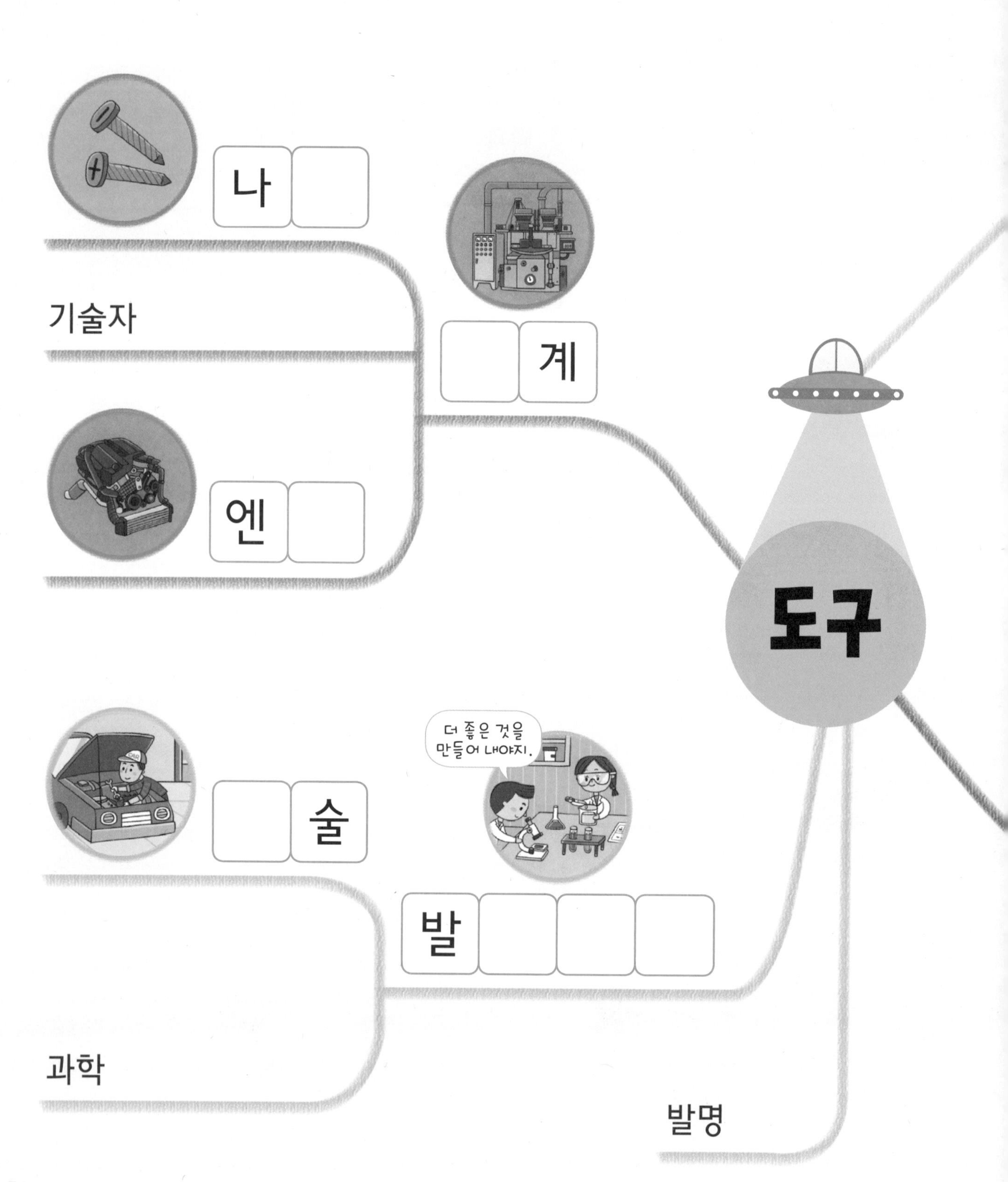

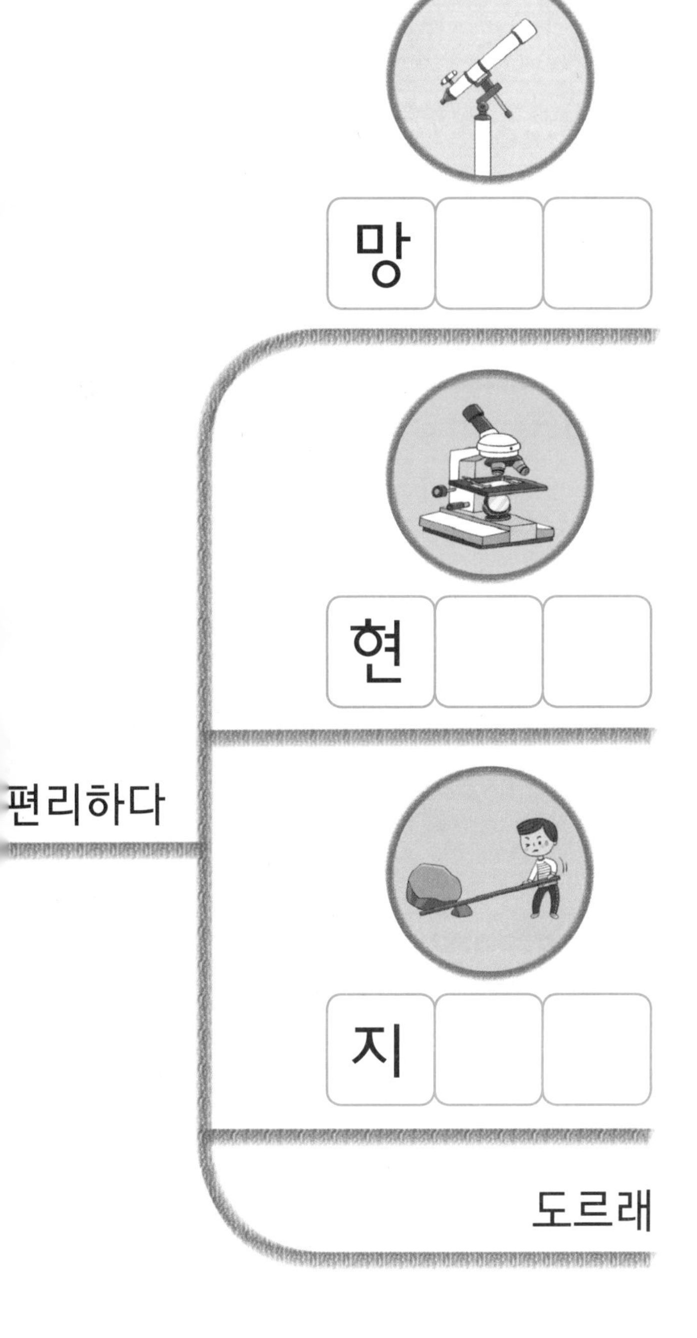

어휘 읽기

기계(機 틀 **기** 械 기계 **계**)
전기 등의 힘으로 움직이거나 일을 하는 장치.

기술(技 재주 **기** 術 재주 **술**)
과학 지식을 활용하여 물건을 잘 다룰 수 있는 방법이나 능력.

나사(螺 소라 **나** 絲 실 **사**)
물건이 붙어 있도록 하는 데에 쓰는, 소라 껍데기처럼 빙빙 비틀린 모양의 물건.

망원경
(望 바랄 **망** 遠 멀 **원** 鏡 거울 **경**)
멀리 있는 물체를 크고 정확하게 볼 수 있도록 만든 장치.

발전(發 필 **발** 展 펼 **전**)**하다**
더 좋은 상태나 더 높은 단계로 나아가다.

엔진
열, 전기 에너지 등을 기계를 움직이는 힘으로 바꾸는 장치.

이용(利 이로울 **이** 用 쓸 **용**)**하다**
필요에 따라 도움이 되도록 사용하다.

지렛대
무거운 물건을 움직이는 데에 쓰는 도구.

현미경
(顯 나타날 **현** 微 작을 **미** 鏡 거울 **경**)
눈으로는 볼 수 없을 만큼 작은 것을 크게 하여 볼 수 있도록 만든 기구.

뜻을 읽고, 알맞은 낱말을 찾아 선으로 이으세요.

물건이 붙어 있도록 하는 데에 쓰는, 소라 껍데기처럼 빙빙 비틀린 모양의 물건.	지렛대
더 좋은 상태나 더 높은 단계로 나아가다.	엔진
무거운 물건을 움직이는 데에 쓰는 도구.	나사
열, 전기 에너지 등을 기계를 움직이는 힘으로 바꾸는 장치.	발전하다

글을 읽고, 바른 문장이 되도록 알맞은 낱말을 보기 에서 찾아 빈칸에 쓰세요.

보기 이용 기술 현미경 망원경 기계

① [ ] 으로 멀리 있는 풍경을 살펴보았어요.

② [ ] 으로는 아주 작은 생물도 관찰할 수 있어요.

③ 망치를 [ ] 해서 벽에 못을 박았어요.

④ 공장에서 커다란 [ ] 를 움직여서 물건을 만들어 내요.

⑤ 보은이네 삼촌은 자동차를 고치는 [ ] 을 배웠어요.

연상 어휘

그림을 보고, 떠오르는 낱말을 보기 에서 찾아 빈칸에 쓰세요.

한자어

'경(鏡)'과 '술(術)'의 뜻을 읽고, 알맞은 낱말을 보기 에서 찾아 빈칸에 쓰세요.

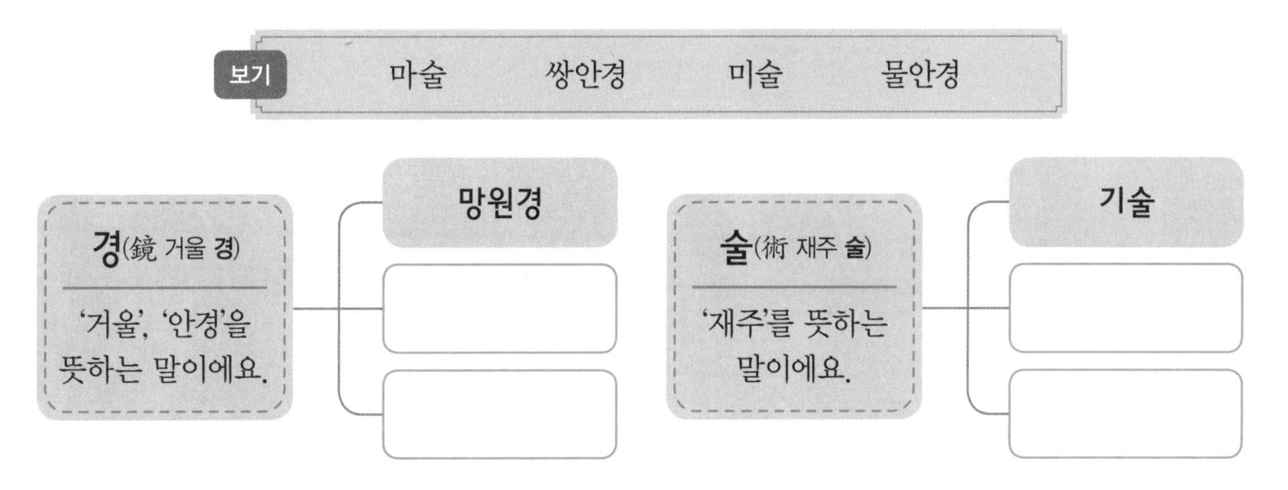

속담

만화를 보고, 상황에 어울리는 속담이 되도록 흐린 글자를 따라 쓰세요.

▶속담 '낫 놓고 기역 자도 모른다'는 '기역 자 모양으로 생긴 낫을 보면서도 기역 자를 모른다'는 뜻으로, 배우지 않아 아는 것이 없음을 뜻해요.

스스로 평가

어휘 그물

2일 음악

'음악'과 관련 있는 어휘와 그 뜻을 소리 내어 읽고, 어휘 그물을 살펴보며 빈칸에 알맞은 낱말을 쓰세요.

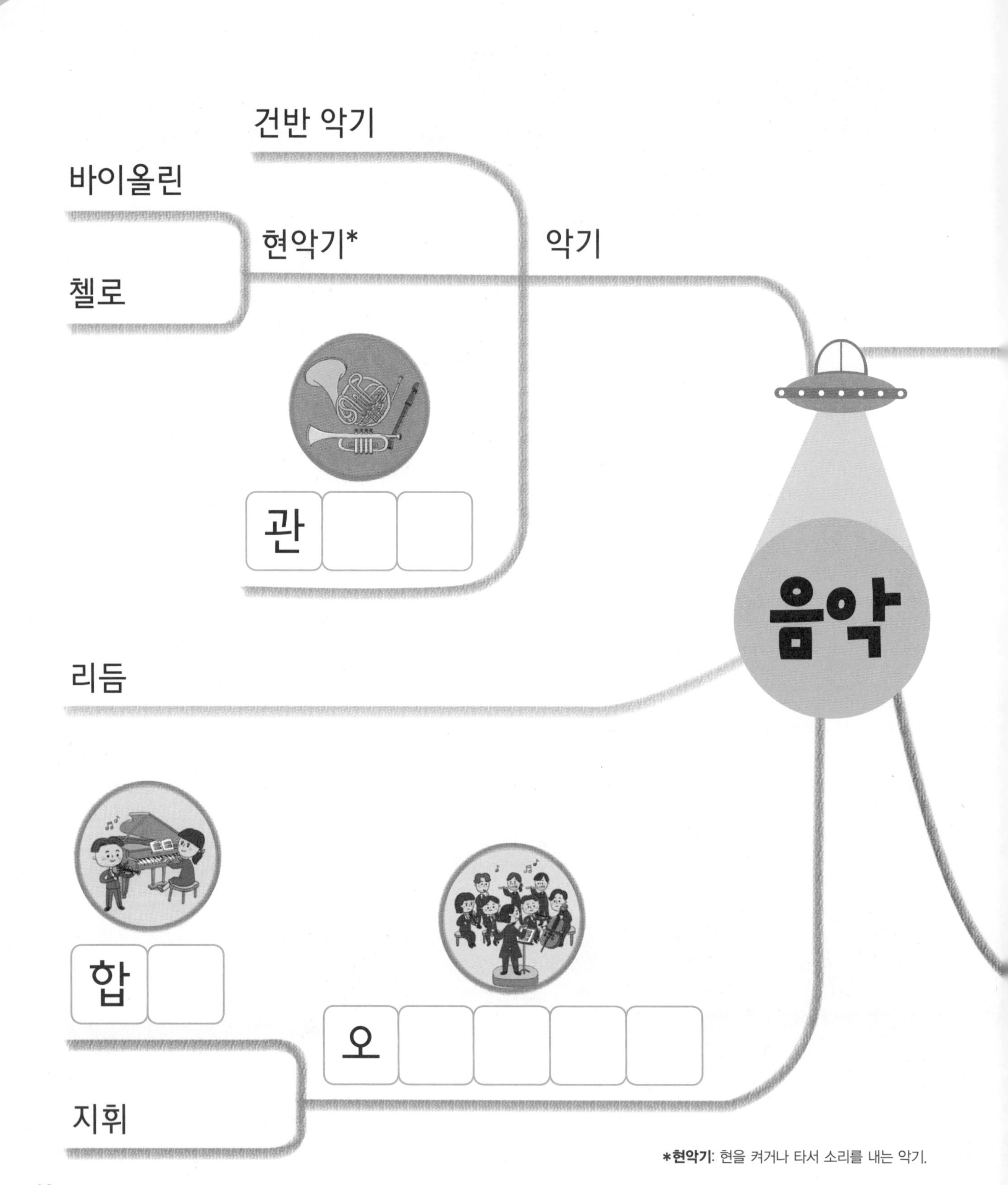

*현악기: 현을 켜거나 타서 소리를 내는 악기.

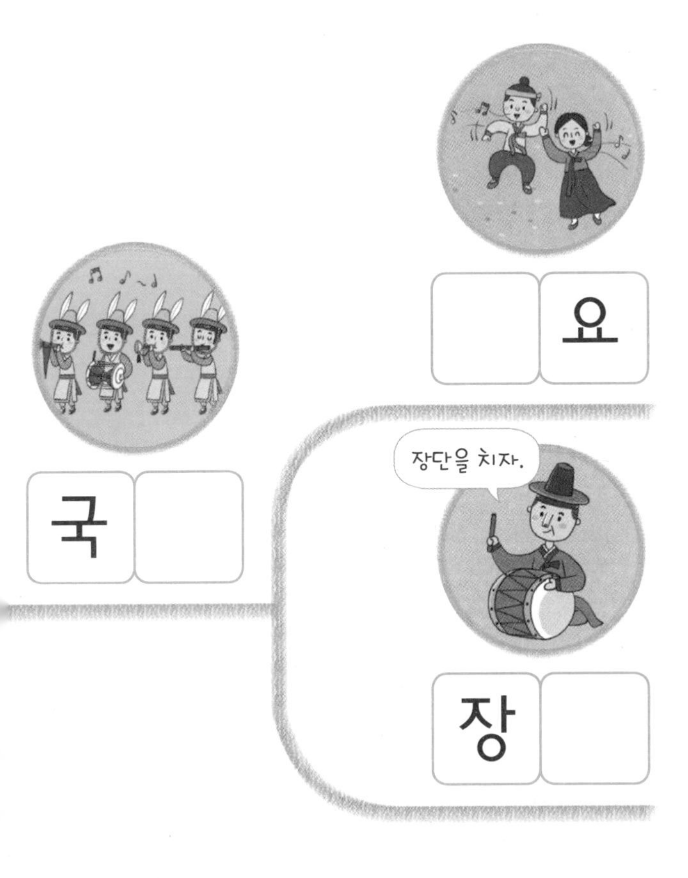

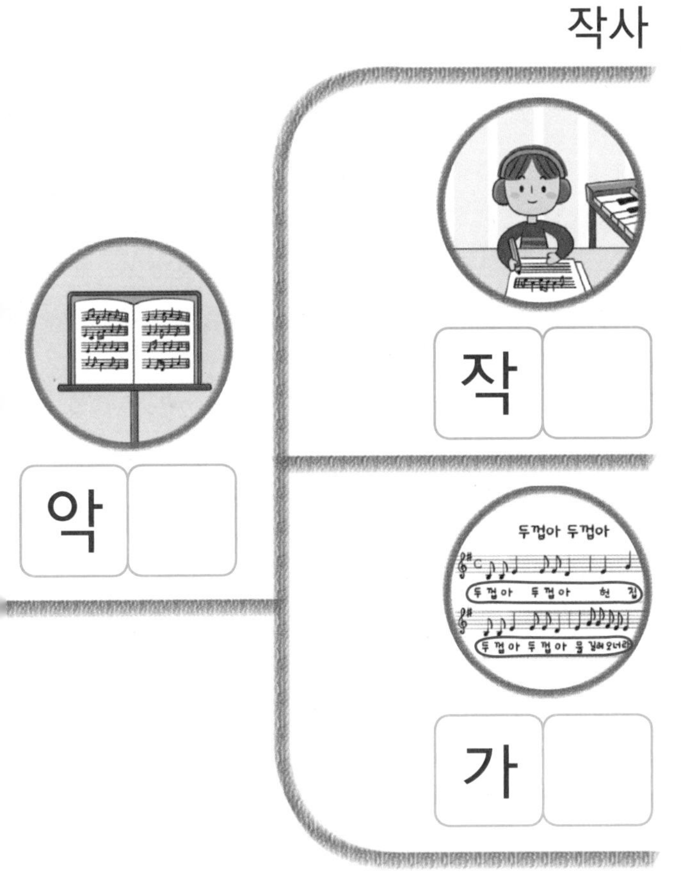

어휘 읽기

가사(歌 노래 **가** 詞 말씀 **사**)
가곡, 가요, 오페라에서 부르기 위해 쓴 글. 노랫말.

관악기
(管 피리 **관** 樂 음악 **악** 器 그릇 **기**)
관으로 만들어져 입으로 불어서 소리를 내는 악기.

국악(國 나라 **국** 樂 음악 **악**)
우리나라 고유의 전통 음악.

민요(民 백성 **민** 謠 노래 **요**)
옛날부터 사람들 사이에 불려 오던 전통 노래.

악보(樂 음악 **악** 譜 악보 **보**)
음악의 음을 음표와 음악 기호로 나타낸 것.

오케스트라
관악기와 현악기, 타악기를 함께 연주하는 단체.

작곡(作 지을 **작** 曲 가락 **곡**)
음악을 새로 만드는 일. 또는 시나 가사에 노래의 음을 붙이는 일.

장단
춤이나 노래의 빠르기, 음의 길이를 이끄는 박자.

합주(合 합할 **합** 奏 연주할 **주**)
두 가지 이상의 악기로 함께 연주함.

2일 어휘 학습

뜻을 읽고, 알맞은 낱말을 보기에서 찾아 빈칸에 쓰세요.

보기 장단 민요 관악기 오케스트라 가사

① 가곡, 가요, 오페라에서 부르기 위해 쓴 글. 노랫말. ……………… (   )

② 옛날부터 사람들 사이에 불려 오던 전통 노래. ……………… (   )

③ 춤이나 노래의 빠르기, 음의 길이를 이끄는 박자. ……………… (   )

④ 관으로 만들어져 입으로 불어서 소리를 내는 악기. ……………… (   )

⑤ 관악기와 현악기, 타악기를 함께 연주하는 단체. ……………… (   )

글을 읽고, (   ) 안에 들어갈 알맞은 낱말을 찾아 선으로 이으세요.

고은이와 지혜는 피아노와 플루트 ( )를 했어요.	• •	합주
유나는 ( )를 보며 바이올린을 연주했어요.	• •	국악
지윤이는 가야금으로 ( )을 연주했어요.	• •	작곡
모차르트는 훌륭한 음악을 많이 ( )했어요.	• •	악보

연상 어휘

그림을 보고, 떠오르는 낱말을 보기 에서 찾아 빈칸에 쓰세요.

한자어

'민(民)'과 '국(國)'의 뜻을 읽고, 알맞은 낱말을 보기 에서 찾아 빈칸에 쓰세요.

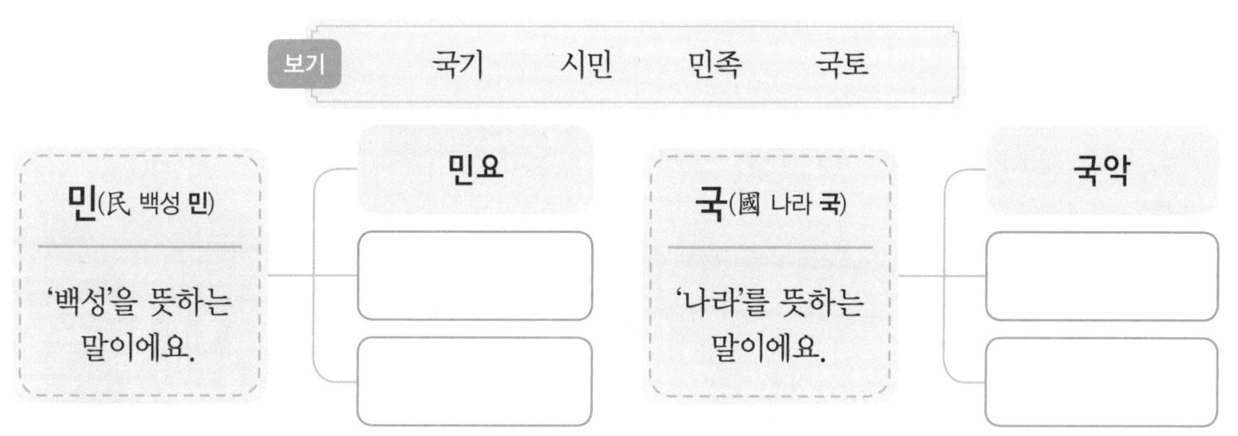

*'시민'은 '행정 구역 중 하나인 시에 사는 사람'을, '민족'은 '오랫동안 함께 생활하면서 같은 문화를 이루며 만들어진 무리'를, '국토'는 '나라의 땅'을 뜻해요.

속담

만화를 보고, 상황에 어울리는 속담이 되도록 흐린 글자를 따라 쓰세요.

▶ 속담 '남의 장단에 춤춘다'는 '자기 주장이나 의견이 없이 남이 하는 대로 따라 한다'는 뜻이에요.

스스로 평가

어휘 그물

3일

미술

'미술'과 관련 있는 어휘와 그 뜻을 소리 내어 읽고, 어휘 그물을 살펴보며 빈칸에 알맞은 낱말을 쓰세요.

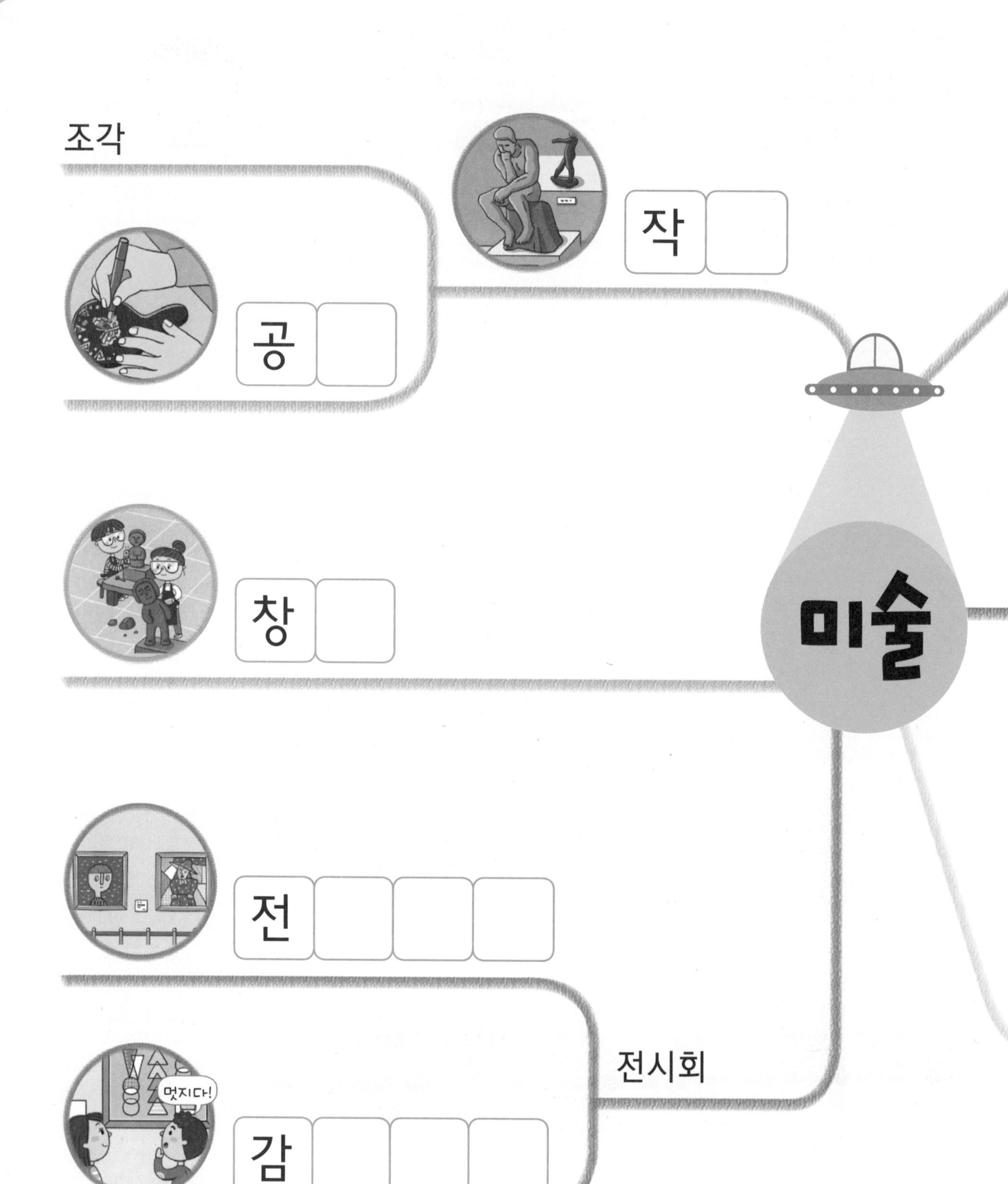

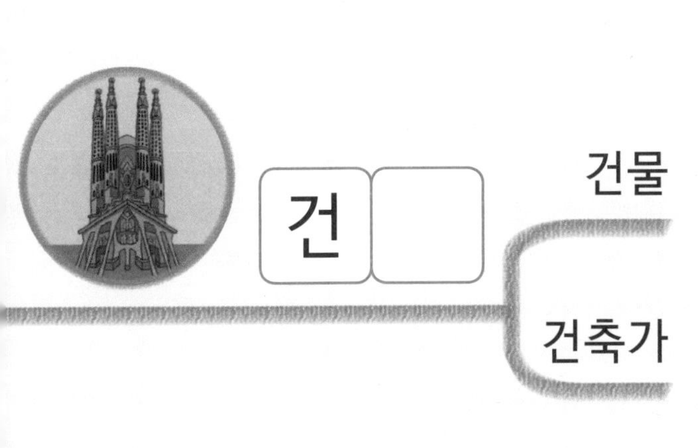

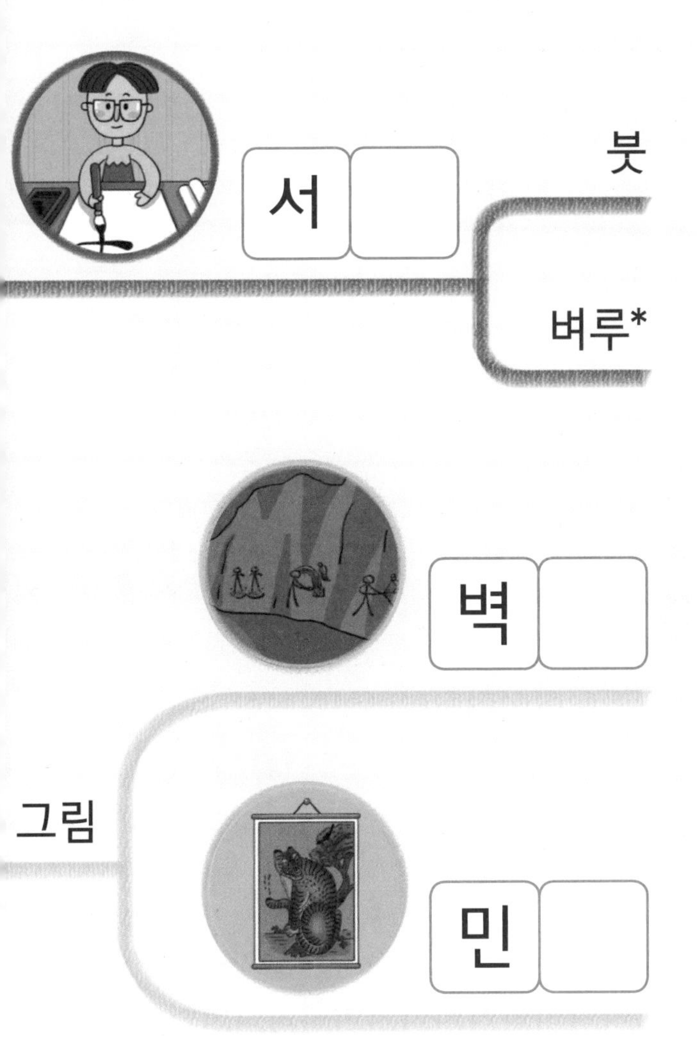

*벼루: 붓글씨를 쓰는 데 필요한 물감인 먹을 가는 데 쓰는 물건.

어휘 읽기

감상(鑑 거울 **감** 賞 상 **상**)**하다**
음악이나 미술 작품 등을 보고 즐기고 느낌을 이야기하다.

건축(建 세울 **건** 築 쌓을 **축**)
흙이나 나무, 돌, 벽돌, 쇠 등을 써서 집이나 성, 다리를 세우거나 쌓아 만드는 일.

공예(工 장인 **공** 藝 재주 **예**)
생활에 필요한 물건을 장식하여 만드는 재주.

민화(民 백성 **민** 畫 그림 **화**)
옛날 일반 백성이 그린 그림.

벽화(壁 벽 **벽** 畫 그림 **화**)
건물이나 동굴, 무덤 등의 벽에 그린 그림.

서예(書 글 **서** 藝 재주 **예**)
붓으로 글씨를 쓰는 것.

작품(作 지을 **작** 品 물건 **품**)
아름다움을 표현하려는 예술 활동으로 만들어 낸 것.

전시(展 펼 **전** 示 보일 **시**)**하다**
여러 가지 물건을 한곳에 모아 놓고 보게 하다.

창작(創 비롯할 **창** 作 지을 **작**)
작품을 새롭게 처음 만들어 냄. 또는 그 작품.

뜻을 읽고, 알맞은 낱말을 보기 에서 찾아 빈칸에 쓰세요.

보기 작품 서예 벽화 민화 전시하다

① 건물이나 동굴, 무덤 등의 벽에 그린 그림. ························ (   )

② 옛날 일반 백성이 그린 그림. ································ (   )

③ 여러 가지 물건을 한곳에 모아 놓고 보게 하다. ··················· (   )

④ 붓으로 글씨를 쓰는 것. ···································· (   )

⑤ 아름다움을 표현하려는 예술 활동으로 만들어 낸 것. ·············· (   )

글을 읽고, (   ) 안에 들어갈 알맞은 낱말을 찾아 선으로 이으세요.

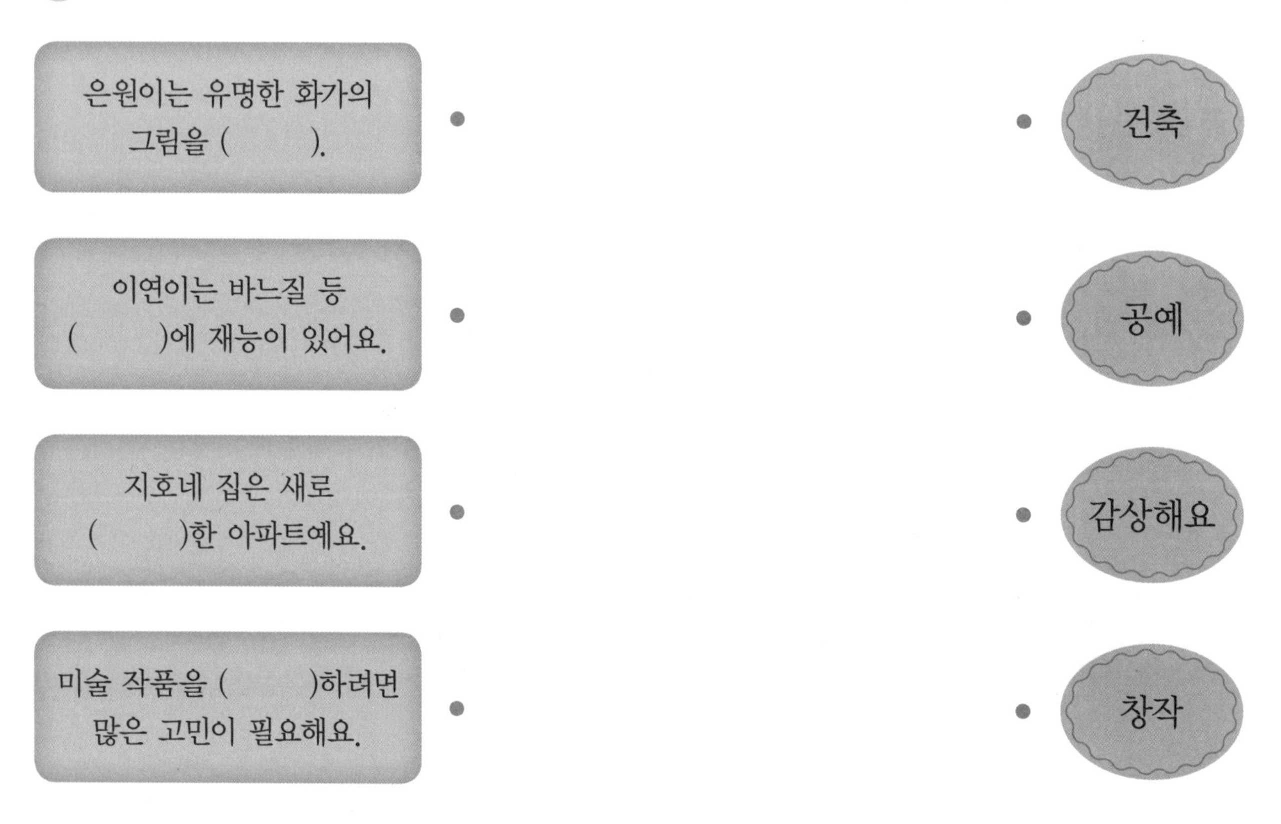

연상 어휘

그림을 보고, 떠오르는 낱말을 보기 에서 찾아 빈칸에 쓰세요.

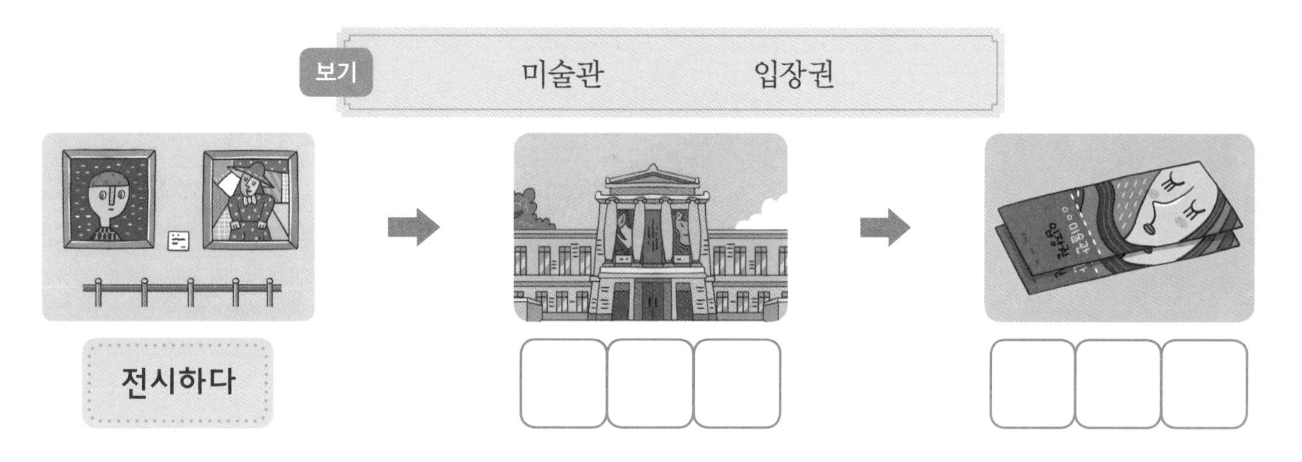

한자어

'화(畫)'와 '건(建)'의 뜻을 읽고, 알맞은 낱말을 보기 에서 찾아 빈칸에 쓰세요.

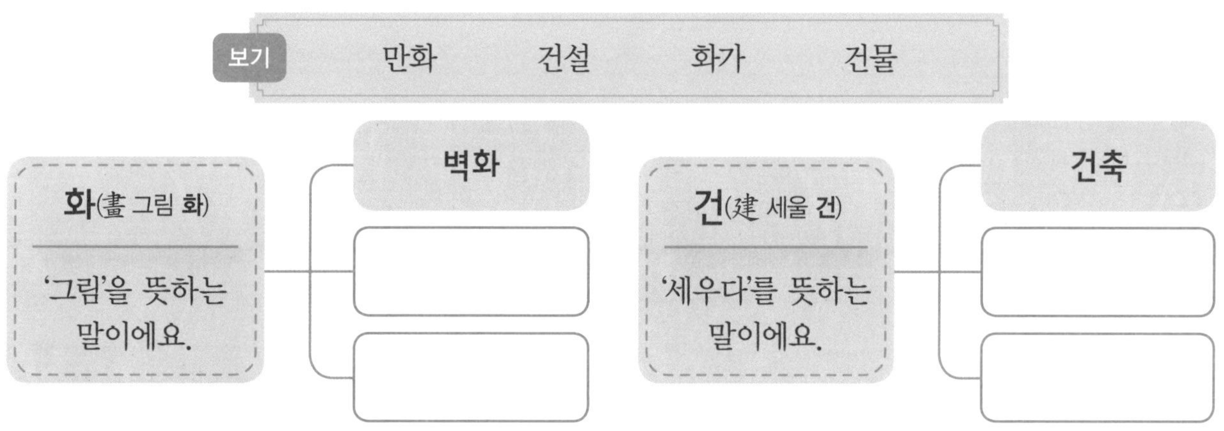

*'건설'은 '건물 등을 새로 만들어 세움'을 뜻해요.

관용구

만화를 보고, 상황에 어울리는 말이 되도록 흐린 글자를 따라 쓰세요.

▶관용구 '그림의 떡'은 '아무리 마음에 들어도 가질 수 없는 경우'를 뜻해요.

스스로 평가

세계

'세계'와 관련 있는 어휘와 그 뜻을 소리 내어 읽고, 어휘 그물을 살펴보며 빈칸에 알맞은 낱말을 쓰세요.

동 □

오세아니아

아메리카

유 □

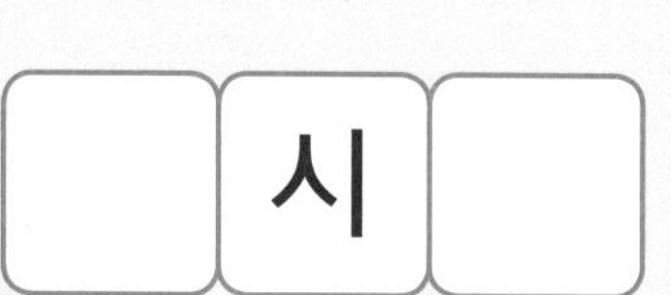

□ 시 □

대 □

□ 프 □ □

서 ☐

만 ☐ ☐

비행기

여행

여 ☐

문화

외 ☐ ☐

흑인

백인

어휘 읽기

대륙(大 큰 **대** 陸 육지 **륙**)
넓은 땅.

동양(東 동쪽 **동** 洋 큰 바다 **양**)
유럽과 아시아 대륙의 동쪽 지역 여러 나라를 합해서 부르는 말. 한국, 중국, 일본, 인도, 인도네시아 등이 있음.

만국기
(萬 일만 **만** 國 나라 **국** 旗 깃발 **기**)
세계 여러 나라의 국기.

서양(西 서쪽 **서** 洋 큰 바다 **양**)
유럽과 아메리카의 여러 나라를 합해서 부르는 말. 미국, 캐나다, 이탈리아 등이 있음.

아시아
지구의 여섯 대륙 가운데 하나로, 한국, 일본, 중국 등이 있는 대륙.

아프리카
아시아 다음으로 큰 대륙으로, 남아프리카 공화국 등이 있는 대륙.

여권(旅 나그네 **여** 券 문서 **권**)
다른 나라를 여행하는 사람의 나라와 이름, 성별, 나이 등을 나타내는 문서.

외국인
(外 바깥 **외** 國 나라 **국** 人 사람 **인**)
나와 다른 나라의 사람.

유럽
지구의 여섯 대륙 가운데 하나로, 프랑스, 영국, 독일 등이 있는 대륙.

4일 어휘 학습

뜻을 읽고, 알맞은 낱말을 찾아 선으로 이으세요.

아시아 다음으로 큰 대륙으로, 남아프리카 공화국 등이 있는 대륙.	아시아
세계 여러 나라의 국기.	아프리카
지구의 여섯 대륙 가운데 하나로, 한국, 일본, 중국 등이 있는 대륙.	만국기
유럽과 아메리카의 여러 나라를 합해서 부르는 말. 미국, 캐나다, 이탈리아 등이 있음.	서양

글을 읽고, 바른 문장이 되도록 알맞은 낱말을 보기 에서 찾아 빈칸에 쓰세요.

보기 외국인 유럽 여권 대륙 동양

① 다른 나라에 가려면 ______ 을 가지고 있어야 해요.

② 독일은 ______ 에 있는 나라예요.

③ 기환이의 친구 데이비드는 다른 나라에서 태어난 ______ 이에요.

④ ______ 에는 우리나라, 중국, 일본 등 한자를 쓰는 나라가 많아요.

⑤ 지구에는 아시아, 아프리카 등의 여섯 ______ 이 있어요.

반의어

낱말을 읽고, 반대말을 찾아 선으로 이으세요.

한자어

'륙(陸)'과 '외(外)'의 뜻을 읽고, 알맞은 낱말을 보기에서 찾아 빈칸에 쓰세요.

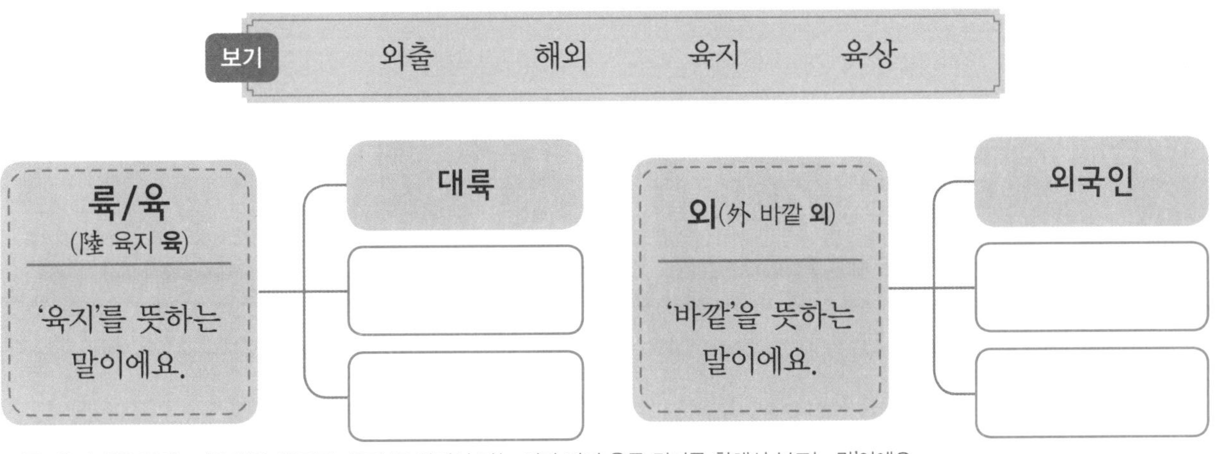

* '육지'는 '땅'을 뜻하고, '육상'은 '달리기, 뛰기 등 땅에서 하는 여러 가지 운동 경기를 합해서 부르는 말'이에요.

사자성어

만화를 보고, 상황에 맞는 말이 되도록 [?] 안에 알맞은 흐린 글자를 따라 쓰세요.

▶ 사자성어 '각양각색'은 '저마다 다른 여러 가지 모양과 빛깔'을 뜻해요.

스스로 평가

5일 어휘 복습

국어 뜻을 읽고, 알맞은 낱말과 그 낱말이 들어갈 문장을 찾아 선으로 이으세요.

등장인물의 성격, 나이, 특징 등에 맞게 배우를 꾸밈.	몸의 동작이나 몸을 바른 자세로 가지는 모양.	물속으로 잠겨 들어감.	잘못한 일에 대하여 꾸짖거나 벌하지 않고 덮어 줌.
용서	잠수	분장	태도

다빈이는 연극에서 토끼 (   )을 했어요.

준형이는 수영장에서 (   )를 했어요.

명규는 예의 바른 (   )로 칭찬을 들었어요.

아저씨는 말썽 부린 아이를 (   )해 주었어요.

수학 낱말을 읽고, 알맞은 뜻을 찾아 선으로 이으세요.

- 벌어진 틈.
- 각을 이루고 있는 두 직선이 만나는 점.

수학 글을 읽고, ( ) 안에 알맞은 낱말을 찾아 선으로 이으세요.

- 정빈이는 작년보다 키가 한 ( ) 더 자랐어요.
- 엄마는 시장에서 배추를 한 ( ) 사 오셨어요.

묶음

* '묶음'은 '묶어 놓은 덩이를 세는 단위'를, '뼘'은 '엄지손가락과 다른 손가락을 한껏 벌린 만큼을 나타내는 길이의 단위'를 뜻해요.

통합교과 뜻을 읽고, 알맞은 낱말을 보기 에서 찾아 빈칸에 쓰세요.

보기 창작 외국인 불쾌하다 전시하다

① 여러 가지 물건을 한곳에 모아 놓고 보게 하다. ………………… [ ]

② 나와 다른 나라의 사람. ………………………………………… [ ]

③ 마음에 들지 않고 기분이 좋지 않다. ……………………………… [ ]

④ 작품을 새롭게 처음 만들어 냄. 또는 그 작품. ………………… [ ]

통합교과 글을 읽고, 바른 문장이 되도록 알맞은 낱말을 보기 에서 찾아 빈칸에 쓰세요.

보기 감상 발전 수출 조사 전파

① 보람이는 눈을 감고 피아노 연주를 [ ] 했어요.

② 경찰은 사고가 일어난 원인을 꼼꼼하게 [ ] 했어요.

③ 과학 기술이 [ ] 하면서 사람들의 생활은 점점 편리해졌어요.

④ 그 사람의 이야기는 먼 곳까지 널리 [ ] 되었어요.

⑤ 우리나라는 다른 나라에 전자 제품을 많이 [ ] 해요.

* '수출'은 '우리나라의 물건이나 기술을 다른 나라에 팔아 내보냄'을, '조사'는 '사물의 내용을 정확하게 알기 위하여 자세히 살펴보거나 찾아봄'을, '전파'는 '전하여 널리 퍼뜨림'을 뜻해요.

통합교과 뜻을 읽고, 알맞은 낱말을 찾아 선으로 이으세요.

과학 지식을 활용하여 사물을 잘 다룰 수 있는 방법이나 능력. •	• 민요
옛날부터 사람들 사이에 불려 오던 전통 노래. •	• 국악
우리나라 고유의 전통 음악. •	• 기술

이야기를 읽고, 물음에 답하세요.

은수는 오늘 가족들과 함께 박물관에 갔어요. 박물관에는 재미있는 물건이 많이 ? 되어 있었어요. 은수는 박물관에서 그림, 공예품, 골동품 등 여러 가지 물건을 감상했어요. 오래 전에 서양에서 쓰던 망원경도 있었고, 옛날 우리나라 사람들이 그린 민화도 있었어요. 아프리카 사람들이 만든 신기한 조각도 있었지요. 은수는 집에 돌아와 박물관에서 본 물건들을 떠올리며 일기를 썼어요. 여러 가지 신기한 물건을 볼 수 있어서 참 즐거운 하루였지요. 은수는 다음에 또 박물관에 가기로 엄마와 약속했답니다.

1. 뜻을 읽고, 알맞은 낱말을 글 속의 빨간색 낱말 중에서 찾아 빈칸에 쓰세요.

① 멀리 있는 물체를 크고 정확하게 볼 수 있도록 만든 장치. ………… [ ]

② 유럽과 아메리카의 여러 나라를 합해서 부르는 말. ………………… [ ]

③ 옛날 일반 백성이 그린 그림. ………………………………………… [ ]

2. 글 속의 ? 안에 알맞은 낱말을 찾아 ○ 하세요.

국악 여권 전시

스스로 평가

3주

어휘 놀이

알쏭달쏭 낱말 퍼즐

아래에 쓰인 뜻을 읽고, 빈칸에 알맞은 낱말을 쓰세요.

①			②		
		②	화		
① 기					④
		③		④	사
		③ 아			

가로

① 전기 등의 힘으로 움직이거나 일을 하는 장치.

② 건물이나 동굴, 무덤 등의 벽에 그린 그림.

③ 아시아 다음으로 큰 대륙으로, 남아프리카 공화국 등이 있는 대륙.

④ 가곡, 가요, 오페라에서 부르기 위해 쓴 글. 노랫말.

세로

① 관으로 만들어져 입으로 불어서 소리를 내는 악기.

② 옛날 일반 백성이 그린 그림.

③ 지구의 여섯 대륙 가운데 하나로, 한국, 일본, 중국 등이 있는 대륙.

④ 물건이 붙어 있도록 하는 데에 쓰는, 소라 껍데기처럼 빙빙 비틀린 모양의 물건.

관심 있는 주제를 가운데 동그라미에 쓰고, 어휘들을
자유롭게 적으며 나만의 어휘 그물을 만들어 보세요.

내가 만드는 어휘 그물

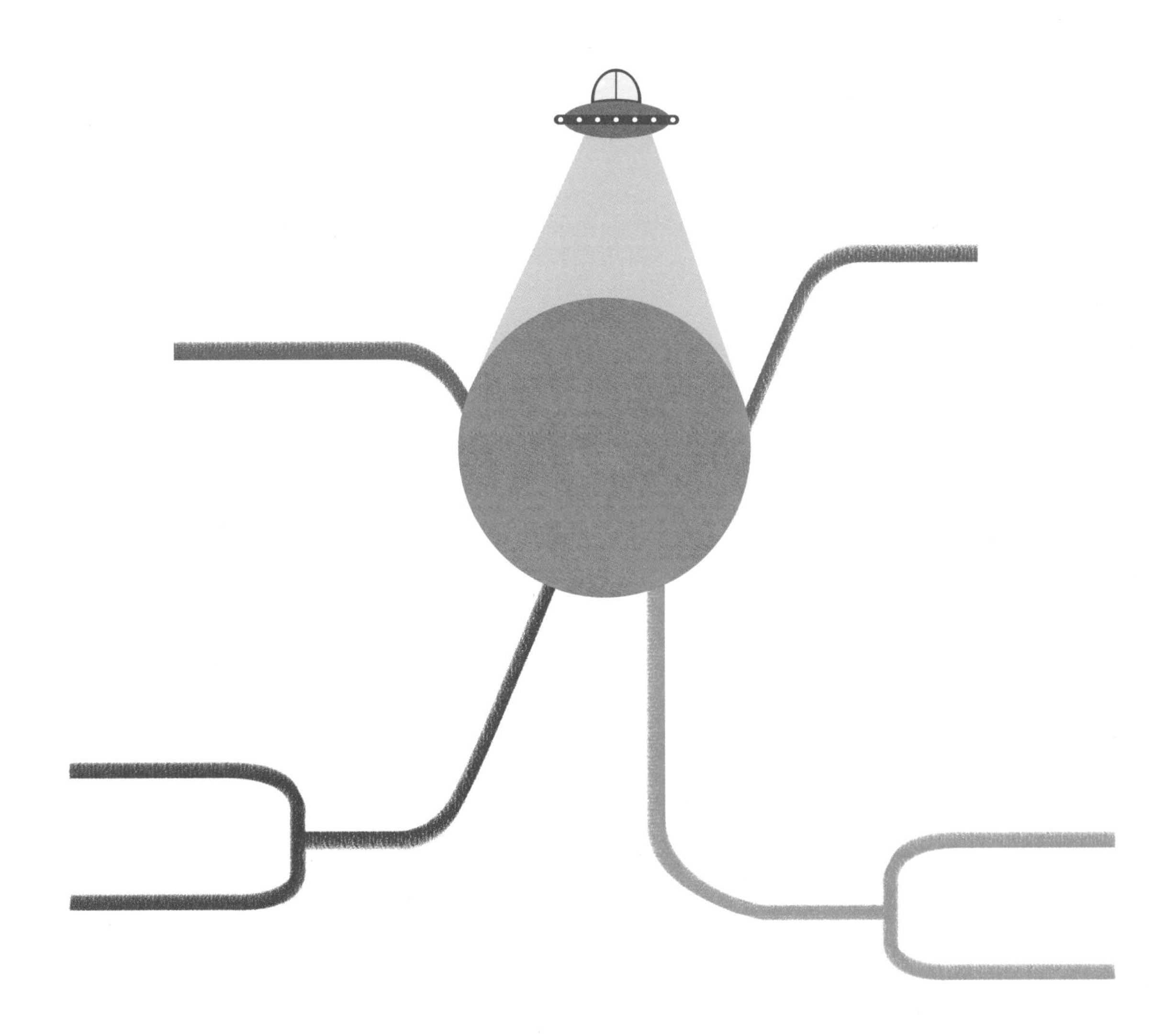

이번 주에 공부할 어휘들이에요.
어휘를 살펴보고,
알고 있는 어휘에 ✓를 하세요.
공부할 날짜를 쓰며
학습 계획도 세워 보세요.

1일 농사

공부할 날 월 일

- [ ] 가을일
- [ ] 거름
- [ ] 경운기
- [ ] 농기구
- [ ] 농부
- [ ] 농약
- [ ] 부지런하다
- [ ] 일구다
- [ ] 차곡차곡

2일 조상

공부할 날 월 일

- [ ] 꽹과리
- [ ] 문양
- [ ] 물물 교환
- [ ] 새끼줄
- [ ] 슬기롭다
- [ ] 의식
- [ ] 지혜
- [ ] 태극 무늬
- [ ] 풍물놀이

3일 작은 동물

공부할 날 월 일

- [ ] 곤충
- [ ] 구별하다
- [ ] 꿈틀꿈틀
- [ ] 송충이
- [ ] 신비롭다
- [ ] 암수
- [ ] 어른벌레
- [ ] 어항
- [ ] 치다

4일 화재

공부할 날 월 일

- [ ] 대피하다
- [ ] 물줄기
- [ ] 불꽃
- [ ] 비상구
- [ ] 삽시간
- [ ] 소방복
- [ ] 소화기
- [ ] 출동하다
- [ ] 훈련

5일 어휘 복습

공부할 날 월 일

아는 어휘 개 / 모르는 어휘 개

농사

'농사'와 관련 있는 어휘와 그 뜻을 소리 내어 읽고, 어휘 그물을 살펴보며 빈칸에 알맞은 낱말을 쓰세요.

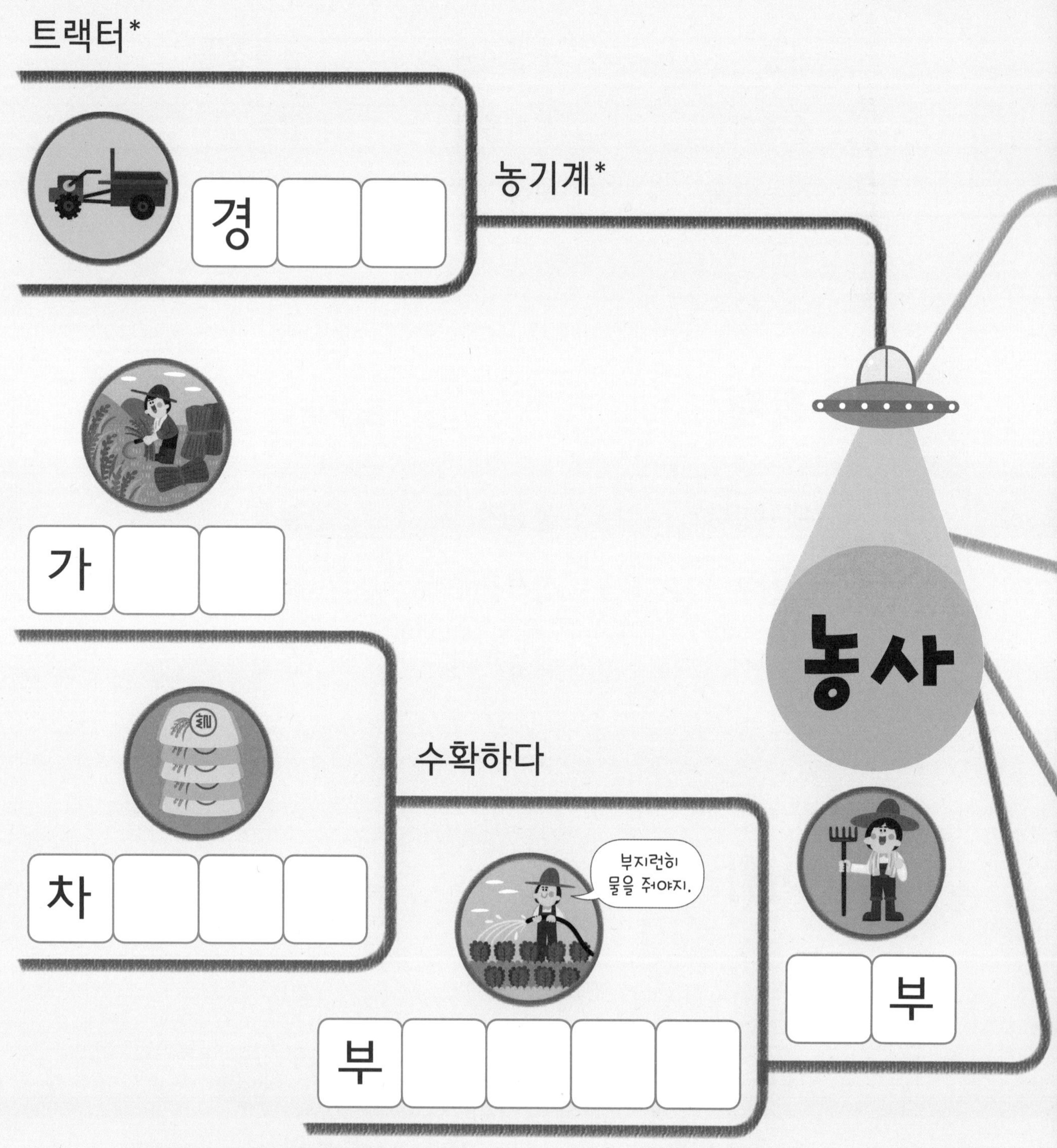

*농기계: 농사짓는 데 쓰는 기계.
*쇠스랑: 땅을 헤쳐 고르거나 두엄, 풀 무덤 등을 쳐내는 데 쓰는 갈퀴 모양의 농기구. 쇠로 서너 개의 발을 만들고 자루를 박아 만듦.
*트랙터: 무거운 짐이나 농기계를 끄는 특수 자동차.
*해충: 사람에게 좋지 않거나 나쁜 영향을 끼치는 벌레.

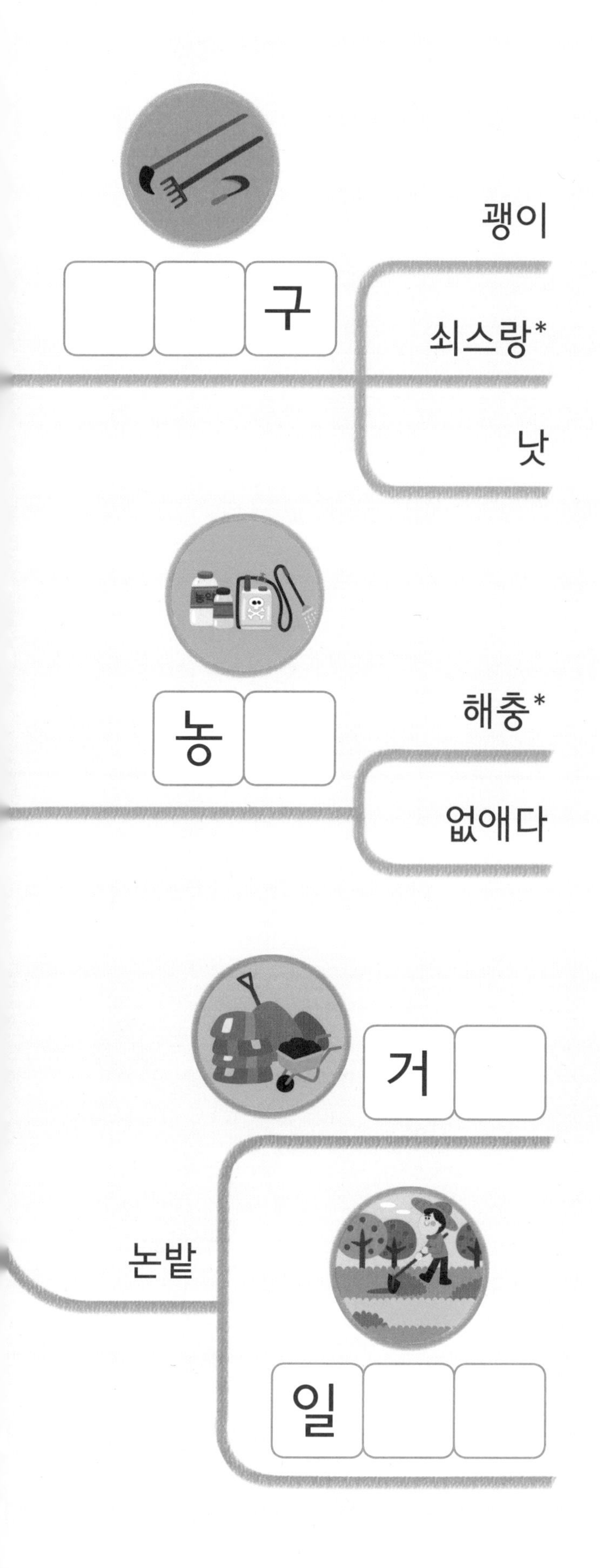

어휘 읽기

가을일
가을에 곡식을 거두어들이는 일.

거름
식물이 잘 자라도록 땅을 기름지게 하기 위해 주는 물질. 똥, 오줌, 음식 찌꺼기 등이 있음.

경운기
(耕 밭갈 **경** 耘 김맬 **운** 機 기계 **기**)
논밭을 갈아 일구어 흙덩이를 부수는 기계.

농기구
(農 농사 **농** 器 그릇 **기** 具 갖출 **구**)
농사짓는 데 쓰는 기구.

농부(農 농사 **농** 夫 사내 **부**)
농사짓는 일이 직업인 사람.

농약(農 농사 **농** 藥 약 **약**)
농작물에 해로운 벌레와 풀을 없애려고 뿌리는 약.

부지런하다
어떤 일을 꾸물거리거나 미루지 않고 꾸준히 열심히 하는 태도가 있다.

일구다
논밭으로 만들려고 땅을 뒤집거나 갈아엎다.

차곡차곡
물건을 가지런하게 포개거나 쌓아 놓은 모양.

1일

어휘 학습

뜻을 읽고, 알맞은 낱말을 보기에서 찾아 빈칸에 쓰세요.

보기 농기구 거름 경운기 농약 일구다

① 식물이 잘 자라도록 땅을 기름지게 하기 위해 주는 물질. 똥, 오줌, 음식 찌꺼기 등이 있음. ……………………… [ ]

② 논밭으로 만들려고 땅을 뒤집거나 갈아엎다. …………………… [ ]

③ 농작물에 해로운 벌레와 풀을 없애려고 뿌리는 약. ……………… [ ]

④ 농사짓는 데 쓰는 기구. ……………………………………… [ ]

⑤ 논밭을 갈아 일구어 흙덩이를 부수는 기계. …………………… [ ]

글을 읽고, (   ) 안에 들어갈 알맞은 낱말을 찾아 선으로 이으세요.

삼촌은 마을에서 가장 ( ). •	• 가을일
( )들이 논에서 열심히 일해요. •	• 농부
할아버지 댁에 가서 ( )을 도와요. •	• 부지런해요
아빠가 창고에 쌀자루를 ( ) 쌓았어요. •	• 차곡차곡

한자어

'농(農)'과 '기(機)'의 뜻을 읽고, 알맞은 낱말을 보기에서 찾아 빈칸에 쓰세요.

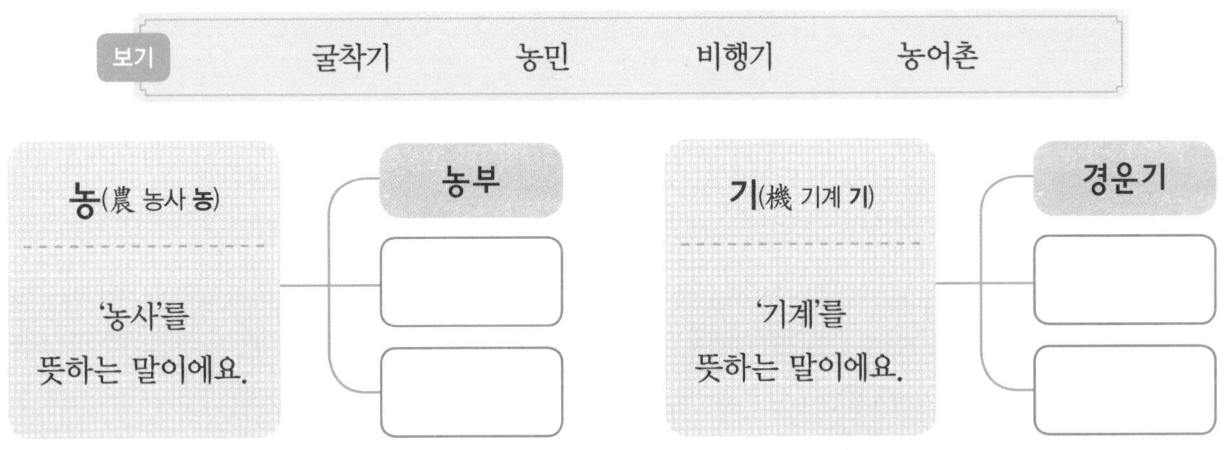

* '굴착기'는 '땅을 파거나 바위를 뚫는 기계'를, '농어촌'은 '농촌과 어촌'을 뜻해요.

유의어

낱말을 읽고, 비슷한말을 찾아 선으로 이으세요.

속담

만화를 보고, 상황에 어울리는 속담이 되도록 흐린 글자를 따라 쓰세요.

▶ 속담 '농부는 두더지다'는 '농부는 땅을 파서 먹고산다'는 뜻이에요.

스스로 평가

2일

조상

'조상'과 관련 있는 어휘와 그 뜻을 소리 내어 읽고, 어휘 그물을 살펴보며 빈칸에 알맞은 낱말을 쓰세요.

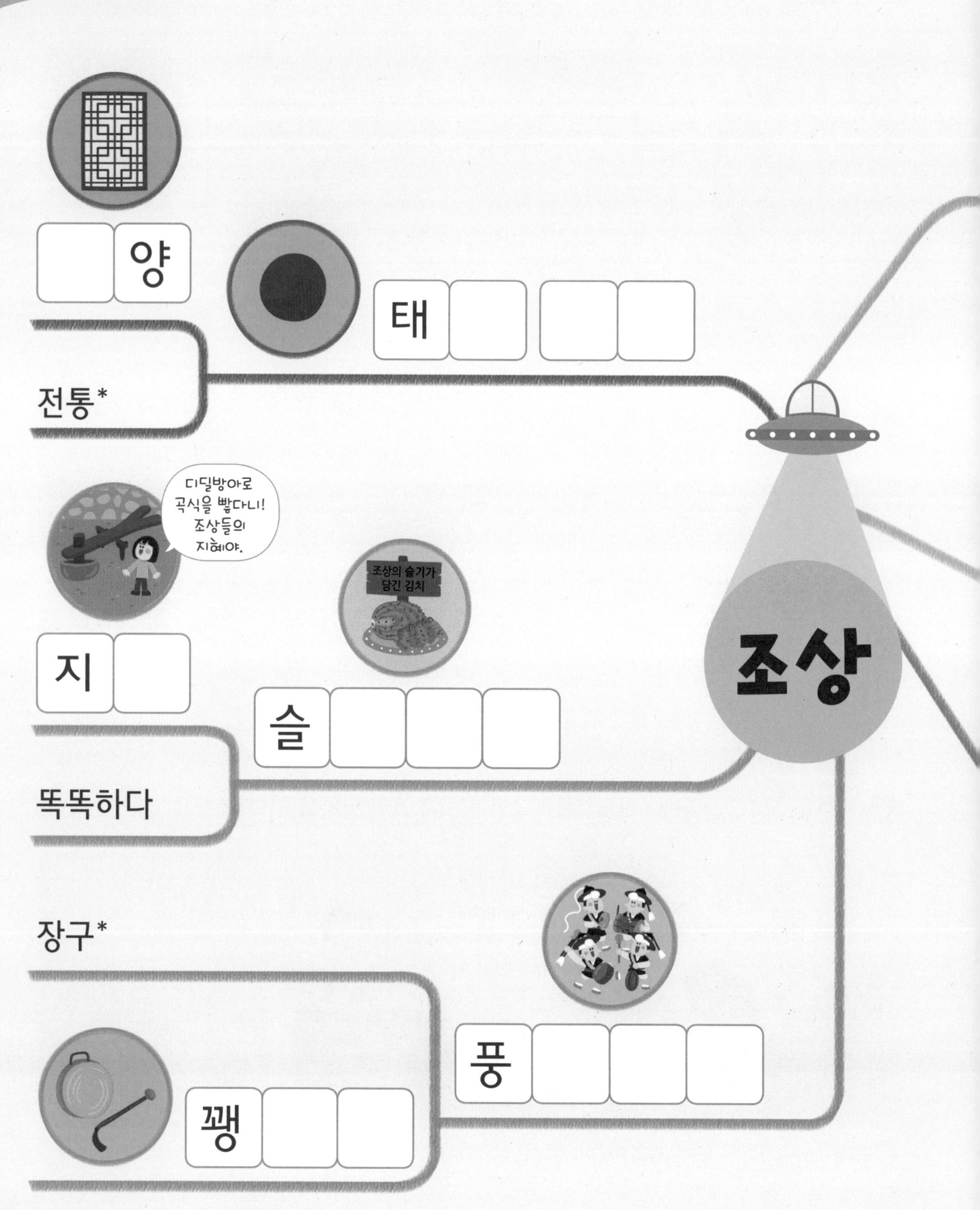

정성

제사*

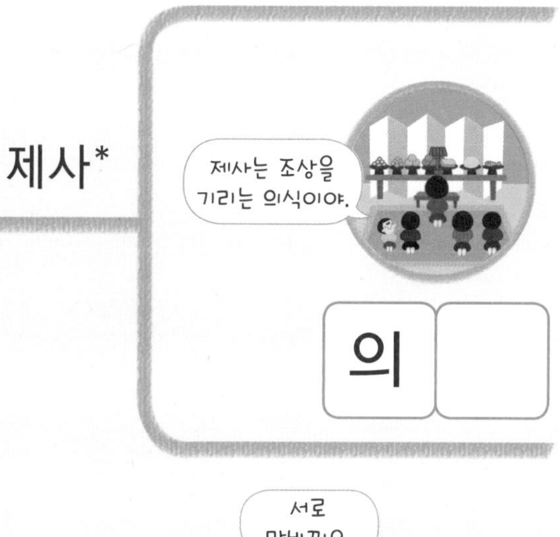

물

짚*

초가집

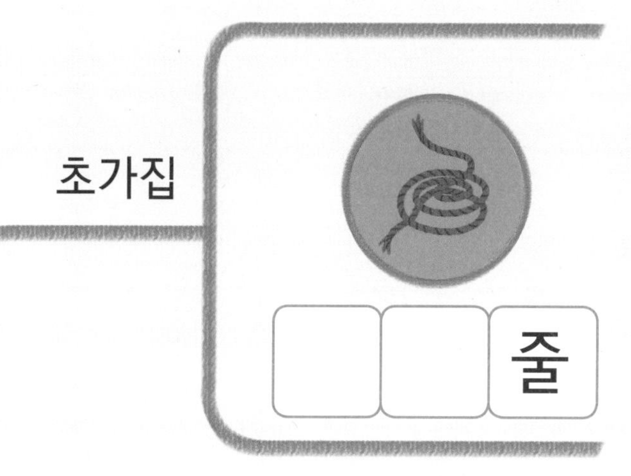

***장구**: 국악에서 쓰는 타악기. 오동나무로 허리가 잘록한 통을 만들어 오른쪽에는 말가죽을, 왼쪽에는 소가죽을 메움.
***전통**: 한 집단에서 옛날부터 이어져 내려오는 것.
***제사**: 음식을 차려 놓고 신이나 죽은 조상에게 절하는 의식.
***짚**: 벼의 낟알을 떨어낸 줄기.

어휘 읽기

꽹과리
놋쇠로 작고 둥글넓적하게 만든 타악기. 끈을 달아 한 손에 들고 채로 쳐서 소리를 내고, 흔히 풍물놀이에 씀.

문양(紋 무늬 **문** 樣 모양 **양**)
무늬의 생김새.

물물 교환(物 물건 **물** 物 물건 **물** 交 바꿀 **교** 換 바꿀 **환**)
돈을 쓰지 않고 필요한 물건끼리 서로 맞바꾸는 것.

새끼줄
짚을 꼬은 새끼로 만든 줄.

슬기롭다
어떤 일을 이치에 맞게 잘 풀어 나가는 힘이 있다.

의식(儀 거동 **의** 式 법 **식**)
정해진 방식에 따라 치르는 행사.

지혜(智 슬기 **지** 慧 슬기로울 **혜**)
경험이 많거나 세상 이치를 잘 알아서 어떤 일을 올바르게 풀어 나가는 힘.

태극(太 클 **태** 極 지극할 **극**) **무늬**
붉은빛과 푸른빛 고리가 서로 맞물린 동그라미로 나타낸 무늬.

풍물(風 바람 **풍** 物 만물 **물**)**놀이**
농촌에서 함께 일할 때나 명절에 흥을 돋우려고 연주하는 우리나라 음악. 꽹과리, 징, 장구, 북 같은 악기를 씀.

뜻을 읽고, 알맞은 낱말을 찾아 선으로 이으세요.

돈을 쓰지 않고 필요한 물건끼리 서로 맞바꾸는 것.	지혜
경험이 많거나 세상 이치를 잘 알아서 어떤 일을 올바르게 풀어 나가는 힘.	문양
붉은빛과 푸른빛 고리가 서로 맞물린 동그라미로 나타낸 무늬.	물물 교환
무늬의 생김새.	태극 무늬

글을 읽고, 바른 문장이 되도록 알맞은 낱말을 보기에서 찾아 빈칸에 쓰세요.

보기: 꽹과리 풍물놀이 의식 슬기롭게 새끼줄

① 민속 박물관에서 ( ) 꼬기 체험 행사를 해요.

② 아빠가 가장 먼저 ( )를 치면서 앞으로 나아가요.

③ 현충원에서 현충일 기념 ( )을 진행해요.

④ 우리 조상들은 어려움이 닥칠 때마다 ( ) 헤쳐 나갔어요.

⑤ 신나는 ( )를 구경하니까 어깨춤이 절로 나요.

연상 어휘

그림을 보고, 떠오르는 낱말을 보기 에서 찾아 빈칸에 쓰세요.

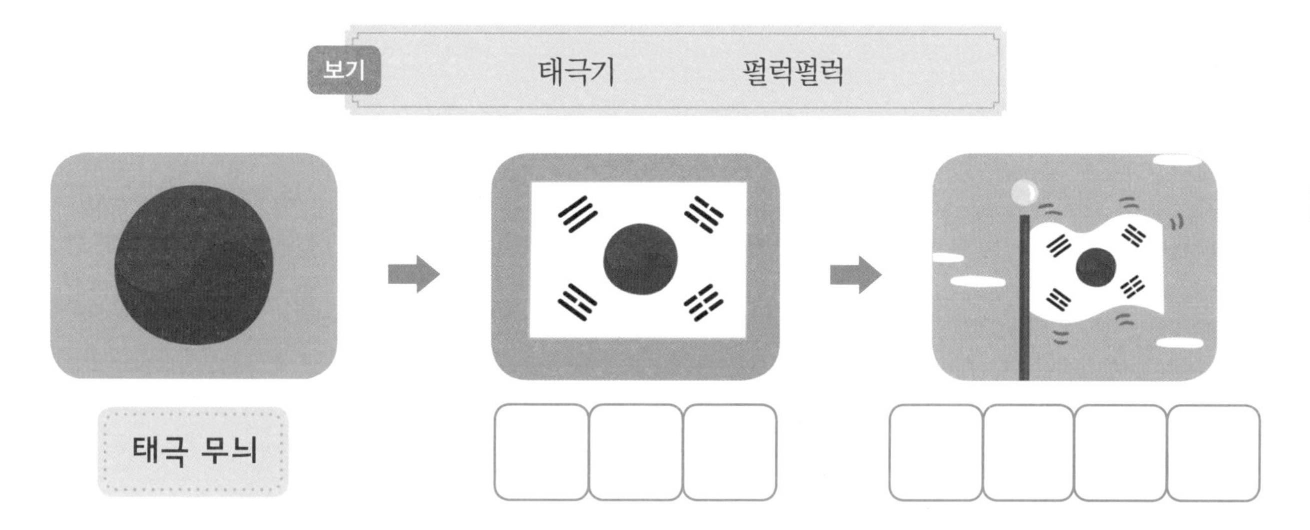

유의어

낱말을 읽고, 비슷한말을 찾아 선으로 이으세요.

속담

만화를 보고, 상황에 어울리는 속담이 되도록 흐린 글자를 따라 쓰세요.

▶속담 '못되면 조상 탓'은 '일이 안될 때 그 책임을 남에게 돌리는 태도'를 빗대어 나타내는 말이에요.

스스로 평가

어휘 그물

작은 동물

'작은 동물'과 관련 있는 어휘와 그 뜻을 소리 내어 읽고, 어휘 그물을 살펴보며 빈칸에 알맞은 낱말을 쓰세요.

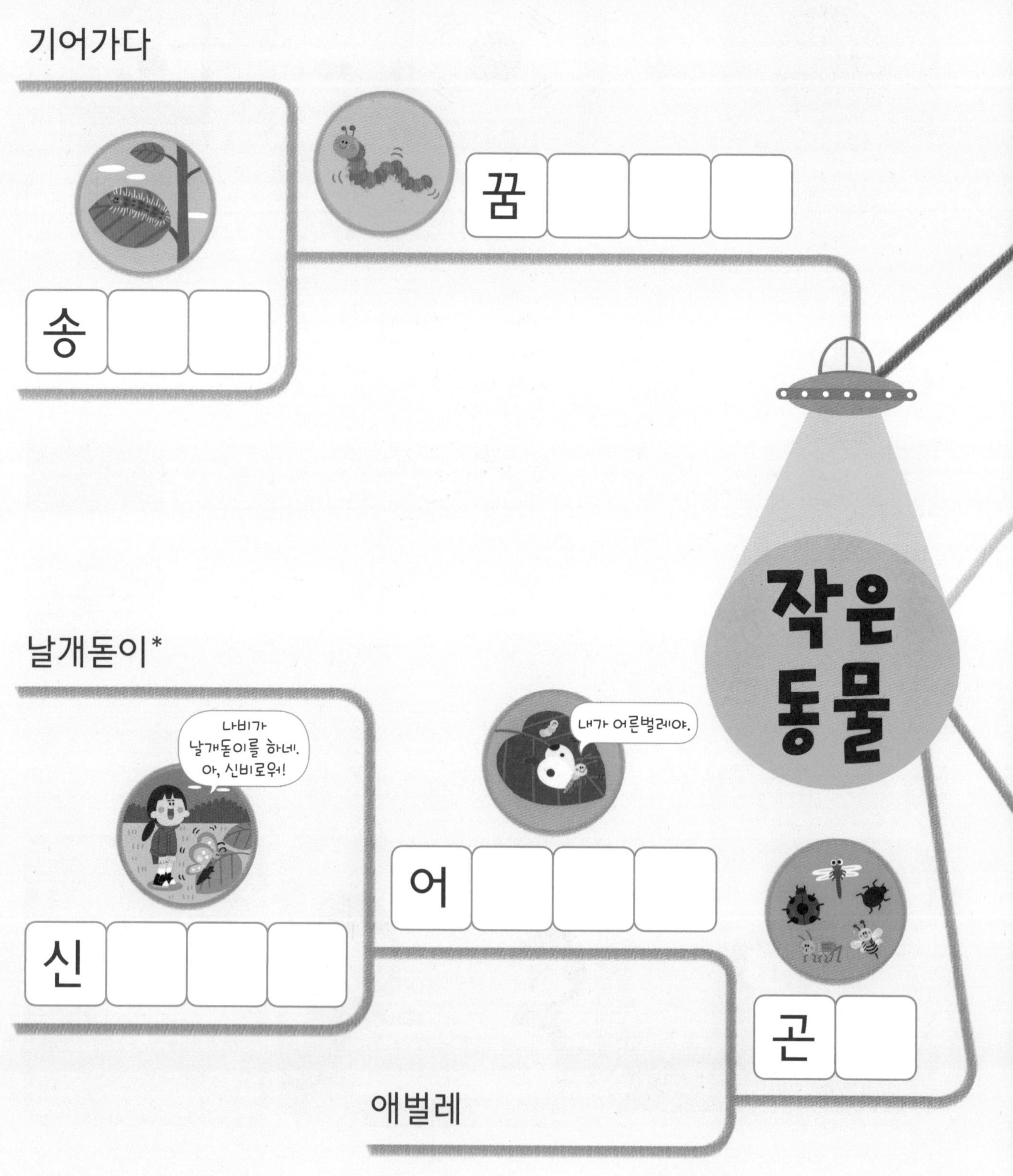

*날개돋이: 번데기가 날개가 있는 어른벌레가 됨.

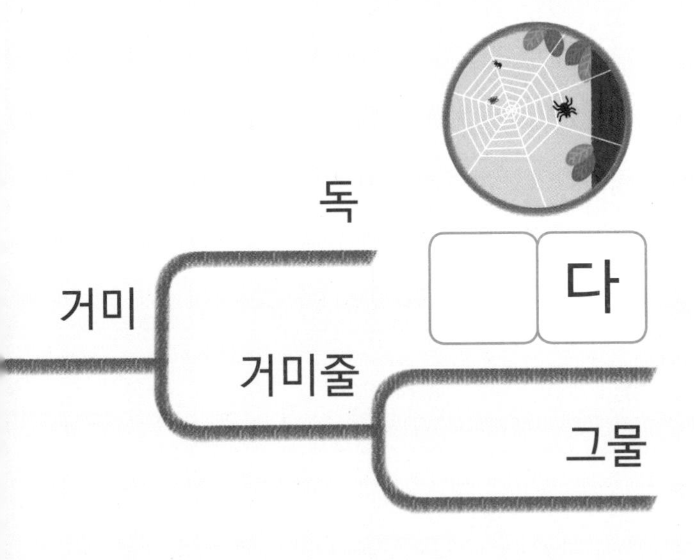

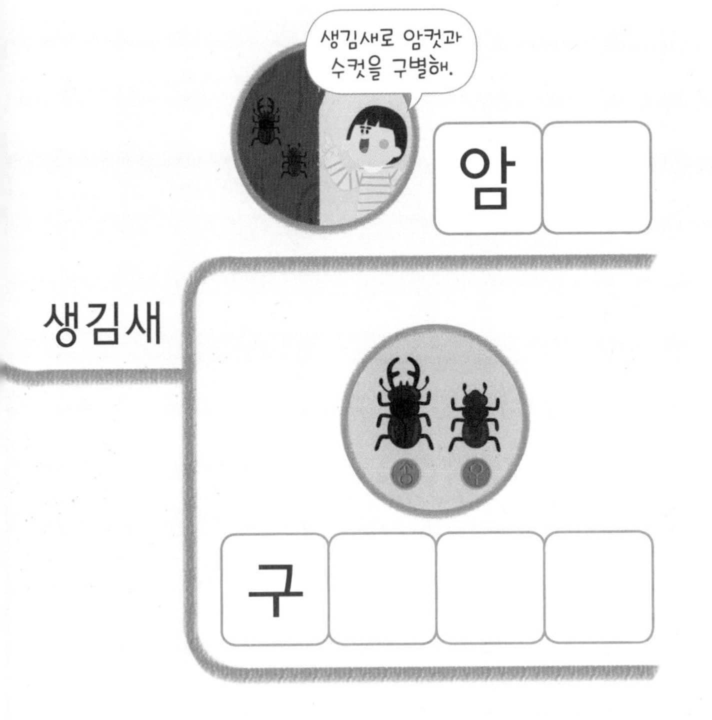

어휘 읽기

곤충(昆 벌레 **곤** 蟲 벌레 **충**)
나비, 개미, 벌처럼 몸에 마디가 많고
다리가 여섯 개인 동물.

구별(區 구역 **구** 別 다를 **별**)**하다**
차이에 따라 가르다.
또는 서로 달라서 나누다.

꿈틀꿈틀
몸의 한 부분을 자꾸 구부리거나
비틀어 움직이는 모양.

송충(松 소나무 **송** 蟲 벌레 **충**)**이**
솔나방의 애벌레. 온몸에 긴 털이 나 있고,
솔잎을 갉아 먹음.

신비(神 귀신 **신** 祕 귀신 **비**)**롭다**
어떻게 된 것인지 알 수 없게 놀랍고
묘한 느낌이 있다.

암수
암컷과 수컷을 아울러 이르는 말.

어른벌레
다 자라서 자기와 닮은 생물을
새로 태어나게 할 능력이 있는 곤충.

어항(魚 물고기 **어** 缸 항아리 **항**)
물고기를 담아 기르는 데 쓰는 유리 등으로
만든 항아리.

치다
줄, 그물, 발 같은 것을 펼치거나
늘어뜨리다.

뜻을 읽고, 알맞은 낱말을 보기 에서 찾아 빈칸에 쓰세요.

보기 구별하다 신비롭다 암수 곤충 어른벌레

① 나비, 개미, 벌처럼 몸에 마디가 많고 다리가 여섯 개인 동물. ……… [ ]

② 다 자라서 자기와 닮은 생물을 새로 태어나게 할 능력이 있는 곤충. ……… [ ]

③ 어떻게 된 것인지 알 수 없게 놀랍고 묘한 느낌이 있다. ……… [ ]

④ 암컷과 수컷을 아울러 이르는 말. ……… [ ]

⑤ 차이에 따라 가르다. 또는 서로 달라서 나누다. ……… [ ]

글을 읽고, ( ) 안에 들어갈 알맞은 낱말을 찾아 선으로 이으세요.

경수는 나무줄기를 기어가는 ( )를 보고 깜짝 놀라요. •	• 치는
아빠가 사 오신 금붕어를 ( )에 넣어요. •	• 꿈틀꿈틀
동은이는 ( ) 애벌레 흉내를 내면서 히죽거려요. •	• 어항
무당거미가 거미줄을 ( ) 모습이 무척 신기해요. •	• 송충이

연상 어휘

그림을 보고, 떠오르는 낱말을 보기 에서 찾아 빈칸에 쓰세요.

보기 징그럽다 꿈틀대다

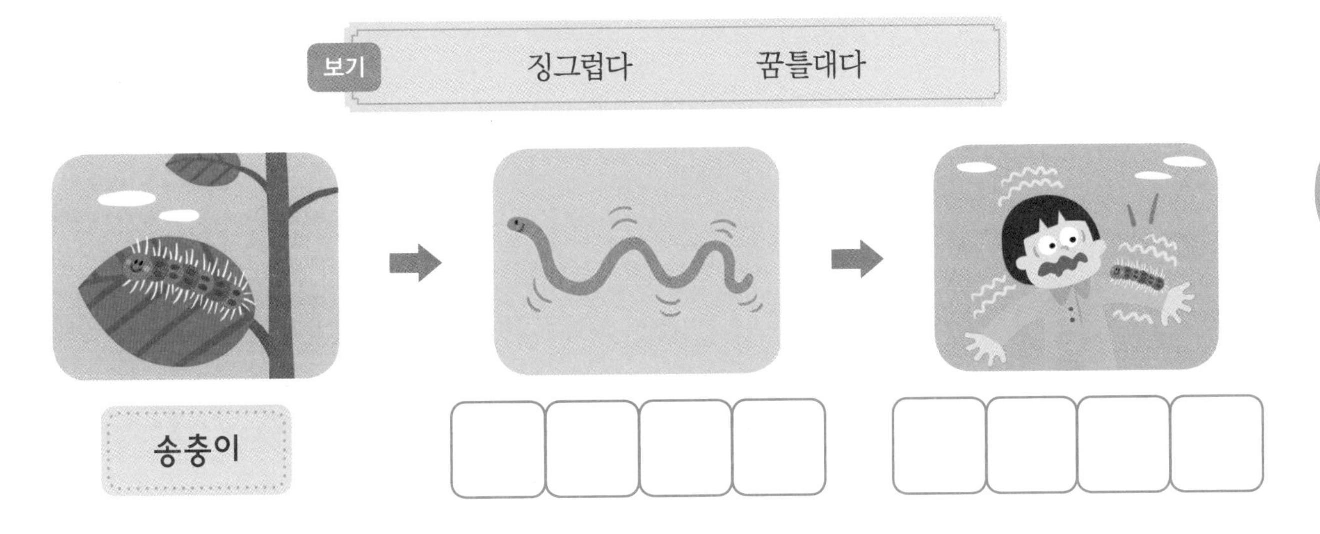

유의어

낱말을 읽고, 비슷한말을 찾아 선으로 이으세요.

관용구

만화를 보고, 상황에 어울리는 말이 되도록 흐린 글자를 따라 쓰세요.

목에 거미줄

치다

▶관용구 '목에 거미줄 치다'는 '가난해서 아무것도 먹지 못하는 처지'를 빗대어 나타내는 말이에요.

스스로 평가

어휘 그물

4일

화재

'화재'와 관련 있는 어휘와 그 뜻을 소리 내어 읽고, 어휘 그물을 살펴보며 빈칸에 알맞은 낱말을 쓰세요.

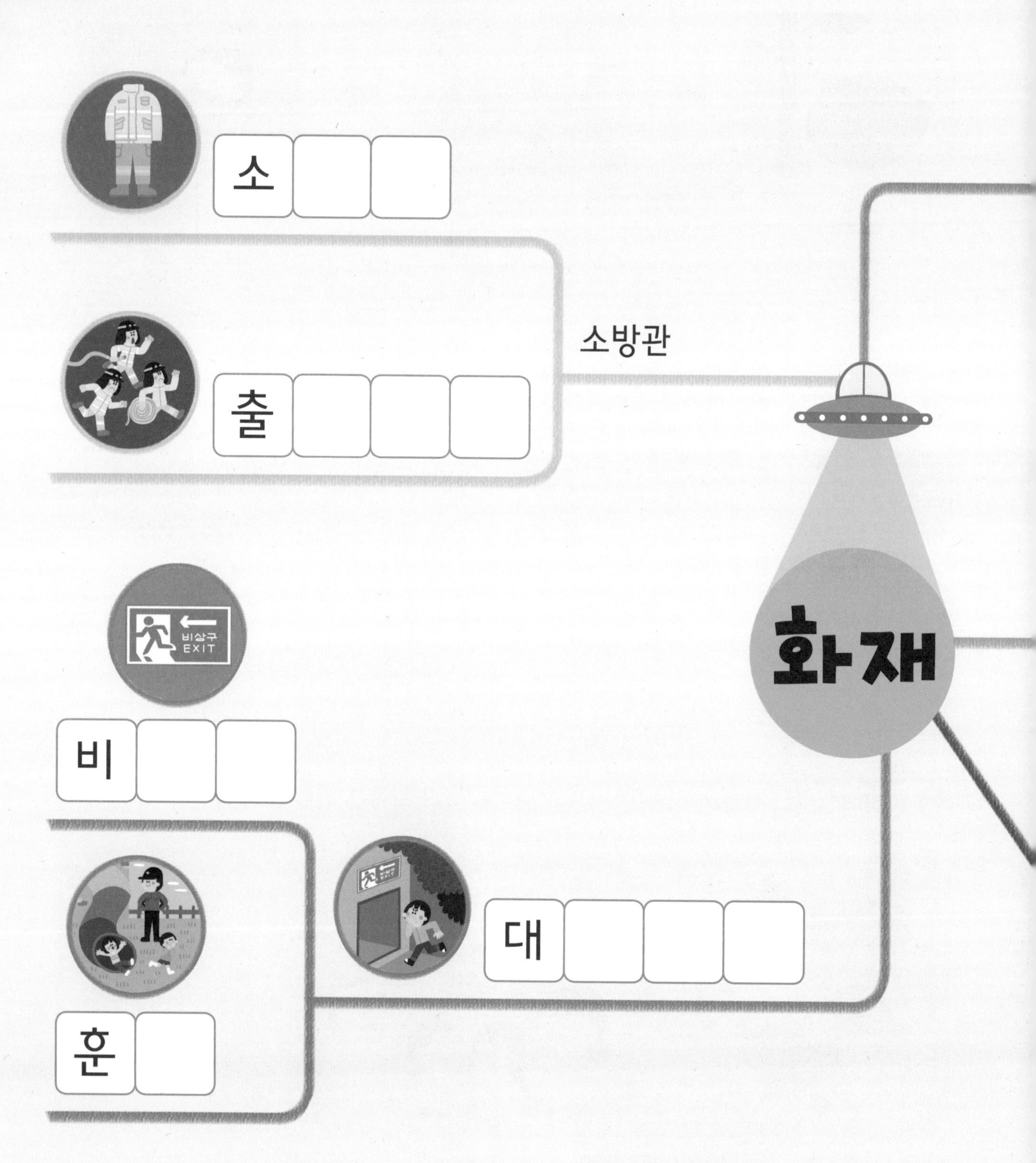

*호스: 자유롭게 휘어지도록 고무, 비닐, 헝겊 등으로 만든 관. 물이나 가스 같은 것을 보내는 데 씀.

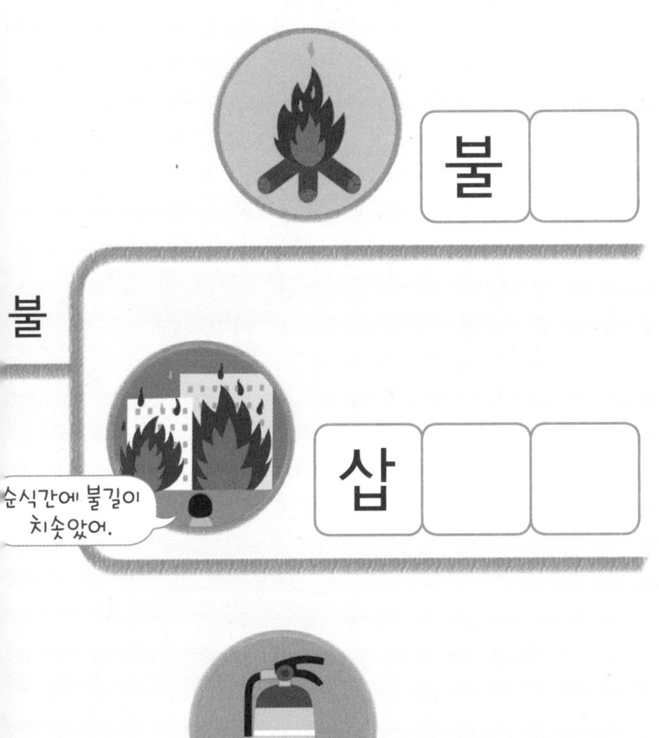

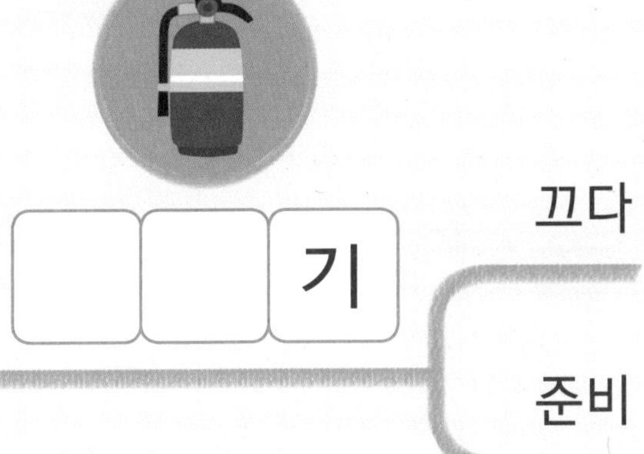

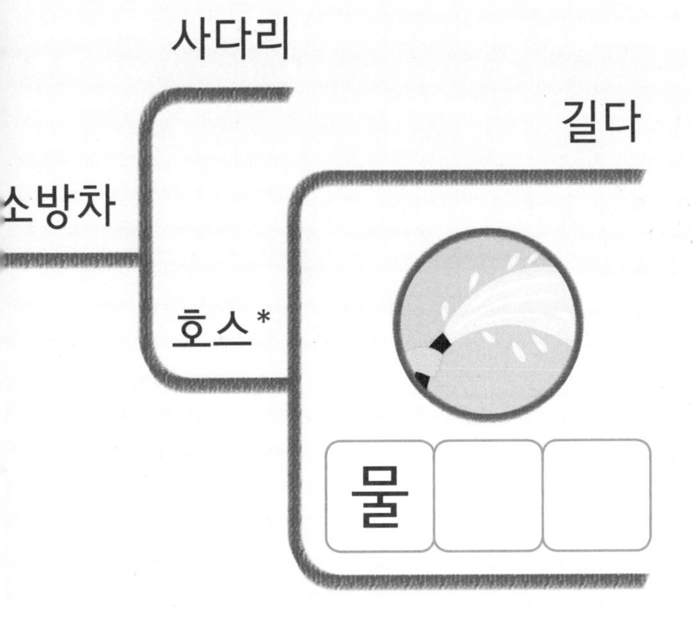

어휘 읽기

대피(待 기다릴 **대** 避 피할 **피**)**하다**
위험이나 피해를 입지 않도록 안전한 곳으로 몸을 피하다.

물줄기
물이 힘 있게 내뻗치는 줄.

불꽃
타는 불에서 일어나는 붉은빛을 띤 기운.

비상구(非 아닐 **비** 常 항상 **상** 口 입 **구**)
위험한 일이 일어났을 때 빨리 나갈 수 있게 특별히 마련한 문.

삽시간(霎 잠시 **삽** 時 때 **시** 間 사이 **간**)
아주 짧은 동안.

소방복(消 꺼질 **소** 防 막을 **방** 服 옷 **복**)
불을 끌 때 소방관이 입는 옷.

소화기(消 꺼질 **소** 火 불 **화** 器 도구 **기**)
불을 끄는 기구. 흔히 쇠로 된 통에 화학 물질을 담아서 만든 것을 이름.

출동(出 나갈 **출** 動 움직일 **동**)**하다**
경찰이나 군대, 소방대원 등이 어떤 일이 일어난 곳으로 빨리 떠나다.

훈련(訓 가르칠 **훈** 練 익힐 **련**)
배우거나 익히려고 되풀이하여 연습하는 일.

뜻을 읽고, 알맞은 낱말을 찾아 선으로 이으세요.

위험한 일이 일어났을 때 빨리 나갈 수 있게 특별히 마련한 문.	소방복
불을 끌 때 소방관이 입는 옷.	불꽃
타는 불에서 일어나는 붉은빛을 띤 기운.	비상구
경찰이나 군대, 소방대원 등이 어떤 일이 일어난 곳으로 빨리 떠나다.	출동하다

글을 읽고, 바른 문장이 되도록 알맞은 낱말을 보기에서 찾아 빈칸에 쓰세요.

보기: 삽시간 물줄기 훈련 소화기 대피해요

① 아이들이 안전한 곳으로 차례차례 (   ).

② 불길이 (   )에 주변으로 번져 나가요.

③ 화재에 대비해서 (   )를 준비해 놓아야 해요.

④ 오늘은 학교에서 지진 대피 (   )을 하는 날이에요.

⑤ 기다란 호스에서 (   )가 뿜어져 나와요.

연상 어휘

그림을 보고, 떠오르는 낱말을 보기 에서 찾아 빈칸에 쓰세요.

보기 신호등 빨간색

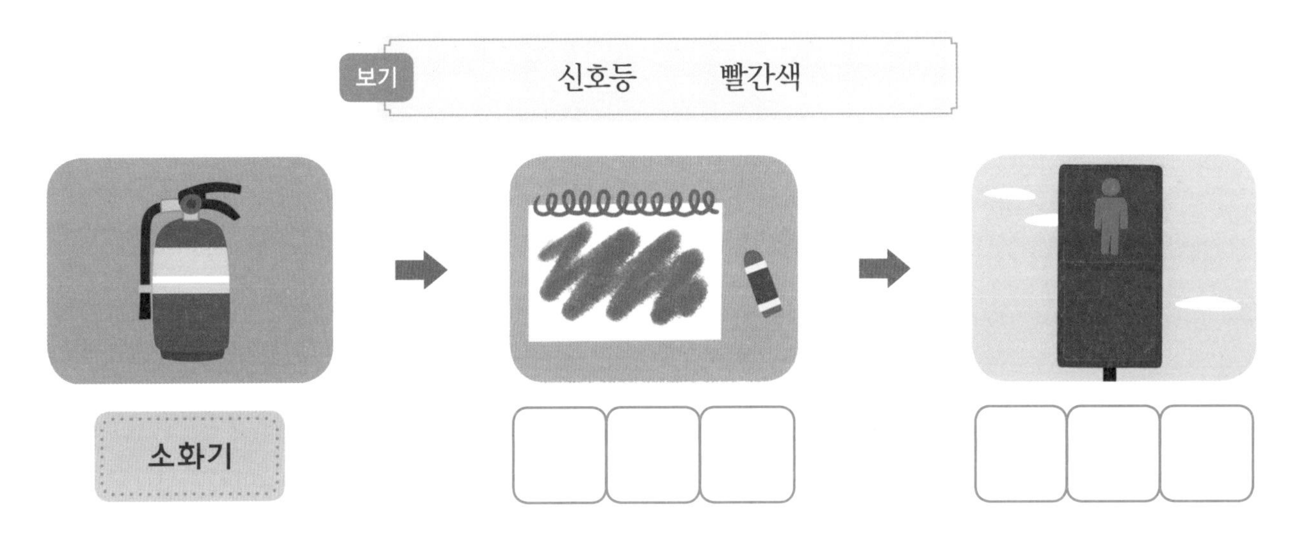

유의어

낱말을 읽고, 비슷한말을 찾아 선으로 이으세요.

관용구

만화를 보고, 상황에 어울리는 말이 되도록 흐린 글자를 따라 쓰세요.

▶관용구 '강 건너 불구경'은 '자기에게 관계없는 일이라고 하여 무관심하게 모른 체하는 경우'를 빗대어 나타내는 말이에요.

스스로 평가

국어 뜻을 읽고, 알맞은 낱말과 그 낱말이 들어갈 문장을 찾아 선으로 이으세요.

경험이 많거나 세상 이치를 잘 알아서 어떤 일을 올바르게 풀어 나가는 힘.	아주 짧은 동안.	농사짓는 시기.	식물의 굵은 뿌리에 돋아나는 가늘고 작은 뿌리.

농사철	지혜	삽시간	잔뿌리

농촌은 지금 한창 바쁜 (　　)이에요.

한글에는 세종의 (　　)가 담겨 있어요.

텃밭에서 뽑은 무에 (　　)가 많아요.

공연할 친구들이 (　　)에 모여들어요.

수학 그림을 보고, 알맞은 낱말을 **보기** 에서 찾아 빈칸에 쓰세요.

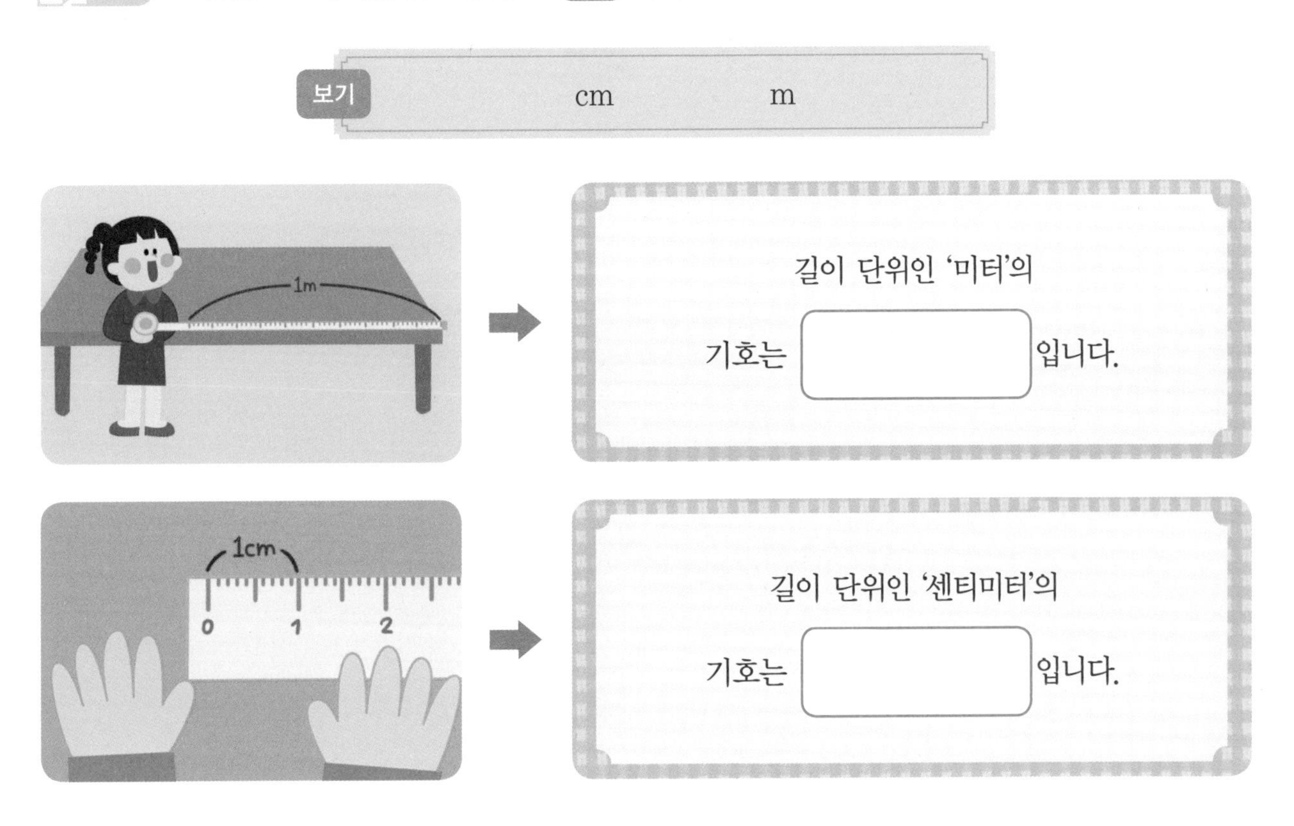

보기 cm m

길이 단위인 '미터'의
기호는 [ ] 입니다.

길이 단위인 '센티미터'의
기호는 [ ] 입니다.

통합교과 글을 읽고, 바른 문장이 되도록 알맞은 낱말을 **보기** 에서 찾아 쓰세요.

보기 일구어 의식 문양 무명 물려준

① 우리 조상들은 [ ] 으로 옷을 만들어 입었어요.

② 세아는 언니가 [ ] 스케이트가 무척 마음에 들어요.

③ 우리나라의 국기인 태극기에는 태극 [ ] 이 들어 있어요.

④ 텃밭을 [ ] 기른 배추로 김장을 해요.

⑤ 해마다 돌아가신 할아버지를 생각하며 추모 [ ] 을 치러요.

* '무명'은 '목화솜에서 실을 뽑아 짠 옷감'을 뜻해요.

통합교과 뜻을 읽고, 알맞은 낱말을 보기 에서 찾아 쓰세요.

보기 물물 교환 여기저기 대피하다 흙덩이

① 위험이나 피해를 입지 않도록 안전한 곳으로 몸을 피하다. ············ [ ]

② 돈을 쓰지 않고 필요한 물건끼리 서로 맞바꾸는 것. ················ [ ]

③ 흙이 엉기어 뭉쳐진 덩이. ································ [ ]

④ 여러 장소를 통틀어 이르는 말. ···························· [ ]

통합교과 글을 읽고, (　) 안에 똑같이 들어갈 낱말을 찾아 선으로 이으세요.

동호는 화가 나서 기분 내키는 대로 (　　)을 했어요.	버릇없이 (　　)하는 아이 때문에 눈살을 찌푸려요.

봄소식을 알리는 '입춘'은 우리나라의 (　　) 가운데 하나예요.	우리나라는 24(　　)에 따라 농사를 지어요.

행동　　　　절기

* '절기'는 '해의 위치에 따라 일 년을 스물넷으로 나누어 계절을 나타낸 것'을 뜻해요.

이야기를 읽고, 물음에 답하세요.

희우네 가족은 주말에 농촌 체험을 했어요. 첫날은 냇가에 가서 물고기를 잡고, 통나무를 새끼줄로 엮어 만든 뗏목도 탔지요. 점심때는 농약을 치지 않고 기른 나물로 비빔밥을 만들어 먹었어요. 밤에는 꽁지에서 불빛을 내는 반딧불이를 보았어요. 달빛과 어우러져 무척 [?]. 또 참나무에서 곤충을 발견했는데, 사슴벌레 암수였어요. 아빠가 암컷과 수컷을 어떻게 구별하는지 알려 주셨어요. 한참을 관찰하고 그 자리에 놓아주었어요. 희우는 농촌 체험이 즐거워서 농부가 되면 좋겠다는 마음이 들었어요.

1. 뜻을 읽고, 알맞은 낱말을 글 속의 빨간색 낱말 중에서 찾아 빈칸에 쓰세요.

① 농작물에 해로운 벌레와 풀을 없애려고 뿌리는 약. ················ [ ]

② 암컷과 수컷을 아울러 이르는 말. ························ [ ]

③ 짚을 꼬은 새끼로 만든 줄. ···························· [ ]

2. 글 속의 [?] 안에 알맞은 낱말을 찾아 ○ 하세요.

건강했어요	신비로웠어요	맛있었어요

스스로 평가  

재미난 낱말 퍼즐

아래에 쓰인 뜻을 읽고 알맞은 낱말을 찾아 ○ 하세요.

의	식	농	약	양	슬
경	운	기	소	화	기
비	상	구	방	곤	롭
재	태	별	복	충	다
출	동	하	일	구	다
극	배	다	삽	시	간

① 농작물에 해로운 벌레와 풀을 없애려고 뿌리는 약.
② 어떤 일을 이치에 맞게 잘 풀어 나가는 힘이 있다.
③ 불을 끄는 기구. 흔히 쇠로 된 통에 화학 물질을 담아서 만든 것을 이름.
④ 불을 끌 때 소방관이 입는 옷.
⑤ 농사짓는 데 쓰는 기구.
⑥ 차이에 따라 가르다. 또는 서로 달라서 나누다.
⑦ 위험한 일이 일어났을 때 빨리 나갈 수 있게 특별히 마련한 문.
⑧ 논밭을 갈아 일구어 흙덩이를 부수는 기계.

관심 있는 주제를 가운데 동그라미에 쓰고, 어휘들을 자유롭게 적으며 나만의 어휘 그물을 만들어 보세요.

내가 만드는 어휘 그물

4주

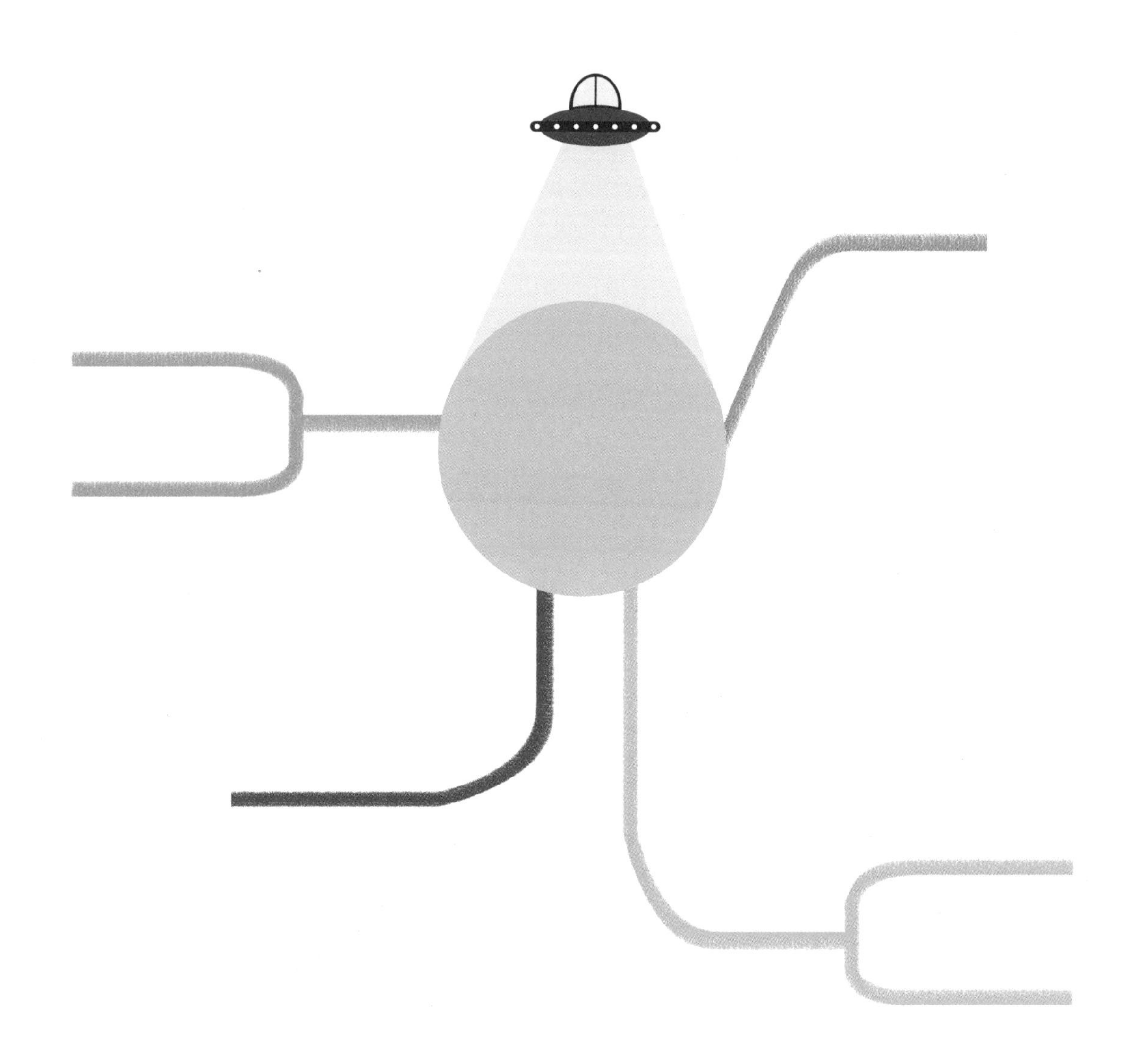

초등 교과 연계표

>> 〈1일 10분 초등 메가 어휘력〉은 초등 주요 교과에서 뽑은 어휘들과 교과 학습에 도움이 되는 어휘들로 이루어져 있습니다.

1주

일	주제	교과 및 연계 단원	
1	동물	**국어 2-1** ㉯ 9. 생각을 생생하게 나타내요 **통합교과 겨울 2-2** 2. 겨울 탐정대의 친구 찾기	
2	식물	**국어 2-2** ㉮ 1. 장면을 떠올리며 **국어 2-2** ㉯ 7. 일이 일어난 차례를 살펴요	**통합교과 봄 2-1** 2. 봄이 오면 **통합교과 가을 2-2** 2. 가을아 어디 있니
3	곤충	**국어 2-1** ㉯ 9. 생각을 생생하게 나타내요 **국어 2-2** ㉮ 2. 인상 깊었던 일을 써요 **국어 2-2** ㉯ 7. 일이 일어난 차례를 살펴요	**수학 2-2** 5. 표와 그래프 **통합교과 봄 2-1** 2. 봄이 오면
4	질병	**국어 2-1** ㉯ 9. 생각을 생생하게 나타내요 **국어 2-2** ㉯ 11. 실감 나게 표현해요	**통합교과 봄 2-1** 1. 알쏭달쏭 나 **통합교과 봄 2-1** 2. 봄이 오면
5	어휘 복습	**국어 2-2** ㉮ 2. 인상 깊었던 일을 써요 **수학 2-2** 3. 길이 재기	**통합교과 여름 2-1** 2. 초록이의 여름 여행

2주

일	주제	교과 및 연계 단원	
1	시간	**국어 2-2** ㉯ 7. 일이 일어난 차례를 살펴요 **수학 2-2** 4. 시각과 시간	**통합교과 여름 2-1** 2. 초록이의 여름 여행
2	옛날	**국어 2-2** ㉯ 11. 실감 나게 표현해요 **수학 2-1** 4. 길이 재기	
3	환경	**국어 2-2** ㉮ 4. 인물의 마음을 짐작해요 **국어 2-2** ㉯ 9. 주요 내용을 찾아요	**통합교과 여름 2-1** 2. 초록이의 여름 여행
4	우주	**통합교과 겨울 2-2** 2. 겨울 탐정대의 친구 찾기	
5	어휘 복습	**국어 2-2** ㉮ 4. 인물의 마음을 짐작해요 **국어 2-2** ㉯ 8. 바르게 말해요	**수학 2-2** 4. 시각과 시간 **통합교과 겨울 2-2** 1. 두근두근 세계 여행

3주

일	주제	교과 및 연계 단원	
1	도구	**국어 2-1** 나 7. 친구들에게 알려요 **국어 2-2** 나 8. 바르게 말해요	
2	음악	**국어 2-2** 가 5. 간직하고 싶은 노래 **국어 2-2** 나 11. 실감 나게 표현해요	**수학 2-2** 5. 표와 그래프
3	미술	**국어 2-2** 나 11. 실감 나게 표현해요 **수학 2-1** 2. 여러 가지 도형	**수학 2-2** 4. 시각과 시간 **통합교과 가을 2-2** 1. 동네 한 바퀴
4	세계	**통합교과 여름 2-1** 1. 이런 집 저런 집 **통합교과 여름 2-1** 2. 초록이의 여름 여행	**통합교과 겨울 2-2** 1. 두근두근 세계 여행
5	어휘 복습	**국어 2-1** 가 1. 시를 즐겨요 **수학 2-1** 4. 길이 재기	**통합교과 겨울 2-2** 1. 두근두근 세계 여행

4주

일	주제	교과 및 연계 단원	
1	농사	**국어 2-2** 가 1. 장면을 떠올리며 **국어 2-2** 가 3. 말의 재미를 찾아서	**국어 2-2** 나 7. 일이 일어난 차례를 살펴요 **통합교과 가을 2-2** 1. 동네 한 바퀴
2	조상	**국어 2-2** 나 7. 일이 일어난 차례를 살펴요 **수학 2-2** 4. 시각과 시간	
3	작은 동물	**국어 2-1** 나 9. 생각을 생생하게 나타내요 **국어 2-2** 가 6. 자세하게 소개해요	**국어 2-2** 나 7. 일이 일어난 차례를 살펴요 **수학 2-2** 5. 표와 그래프
4	화재	**국어 2-1** 나 11. 상상의 날개를 펴요 **국어 2-2** 가 1. 장면을 떠올리며	**통합교과 가을 2-2** 1. 동네 한 바퀴
5	어휘 복습	**국어 2-2** 가 1. 장면을 떠올리며 **국어 2-2** 나 7. 일이 일어난 차례를 살펴요 **국어 2-2** 나 9. 주요 내용을 찾아요 **국어 2-2** 나 11. 실감 나게 표현해요	**수학 2-2** 3. 길이 재기 **수학 2-2** 5. 표와 그래프 **통합교과 가을 2-2** 2. 가을아 어디 있니

1일

8~9쪽

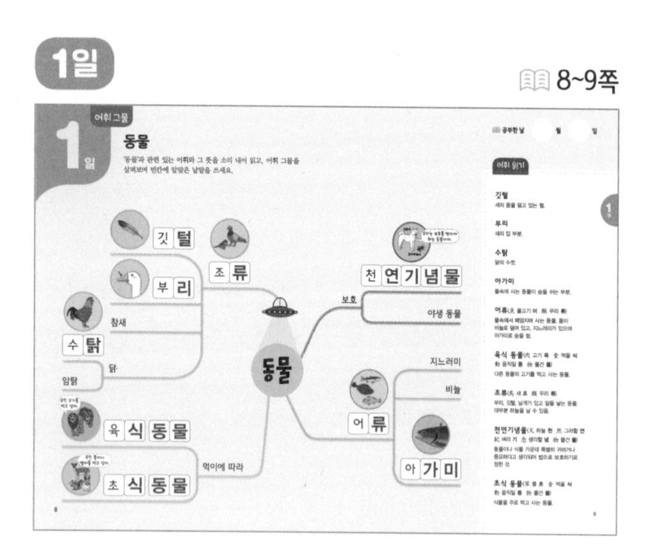

10~11쪽

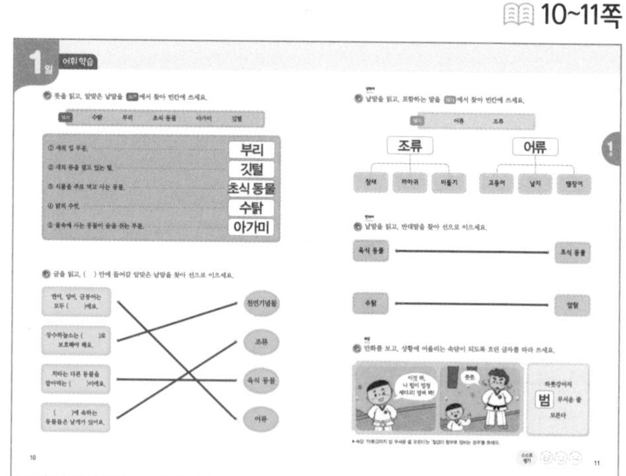

2일

12~13쪽

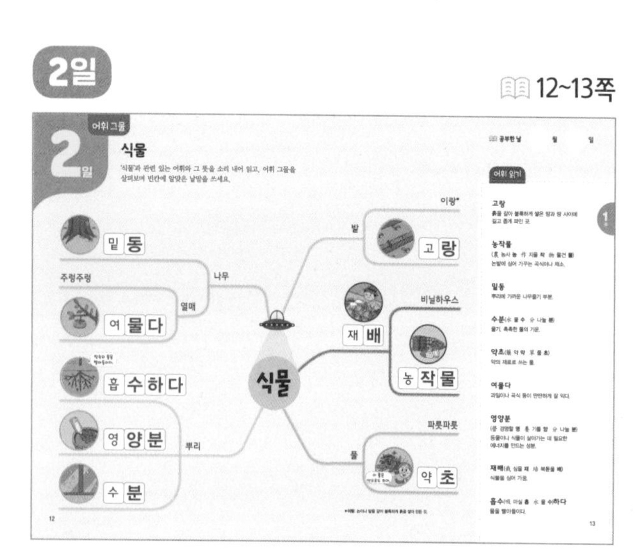

14~15쪽

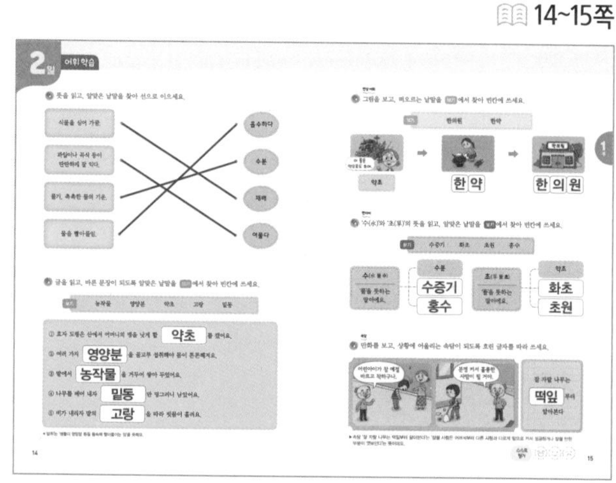

3일

16~17쪽

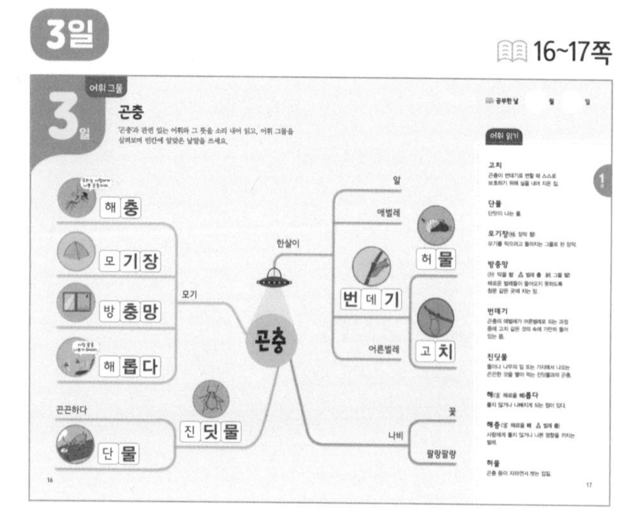

18~19쪽

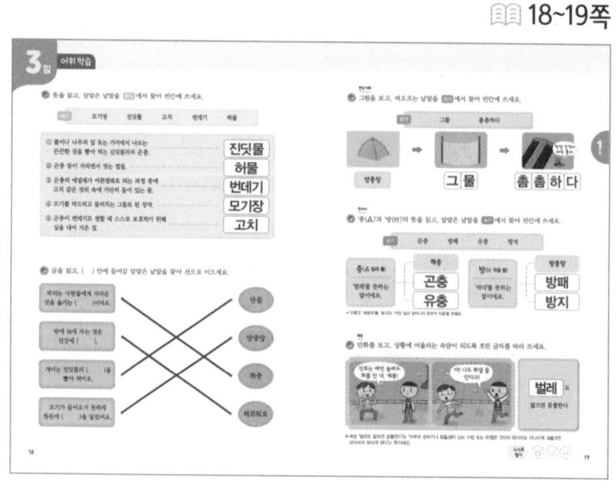

4일

20~21쪽

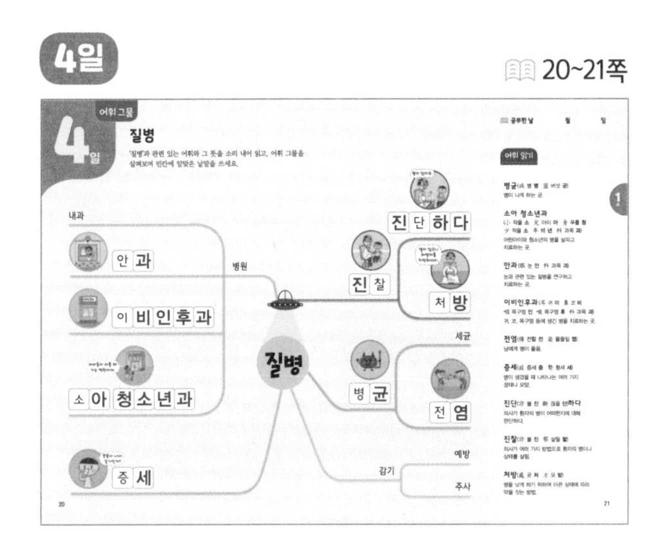

22~23쪽

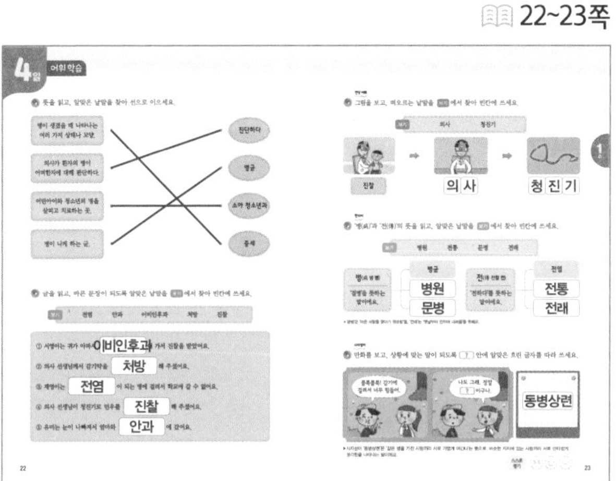

5일

24~25쪽

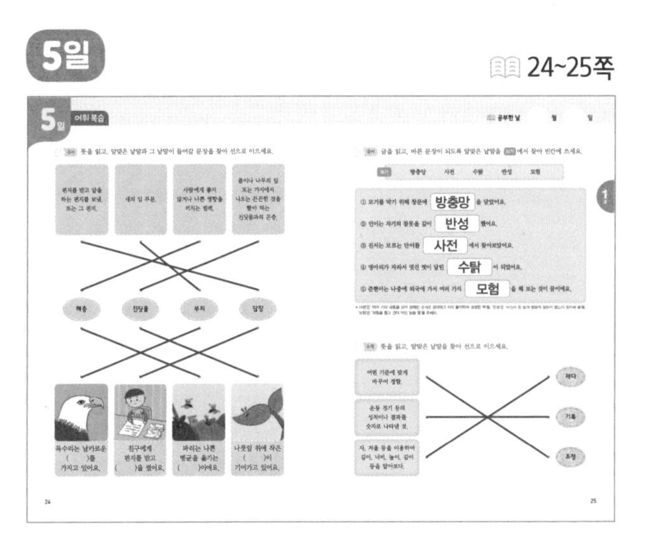

26~27쪽

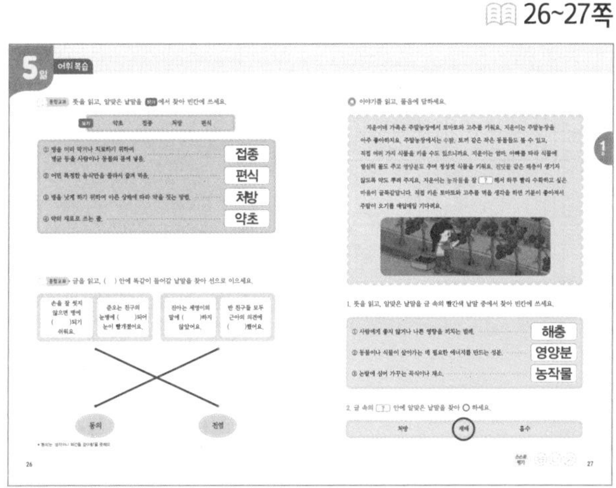

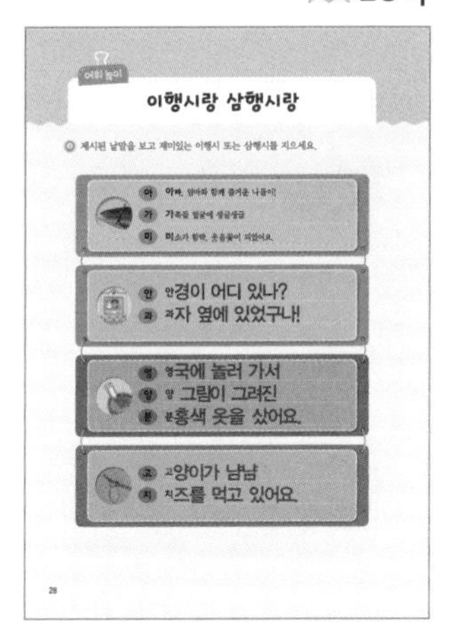

2주 정답

1일

32~33쪽

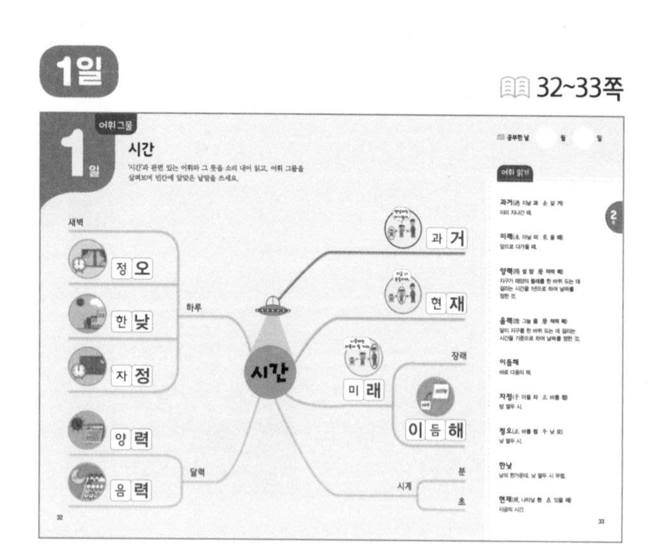

34~35쪽

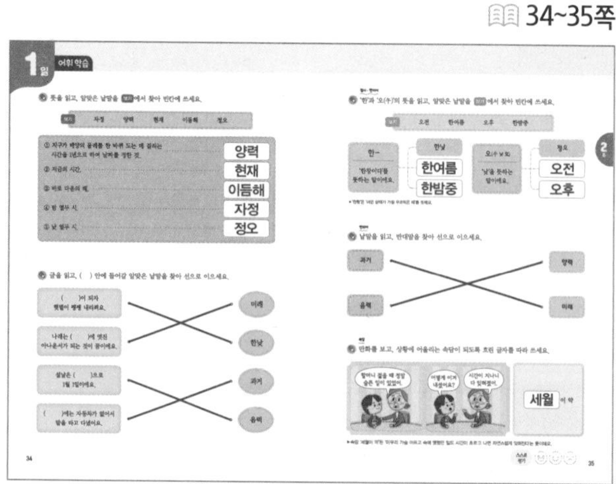

2일

36~37쪽

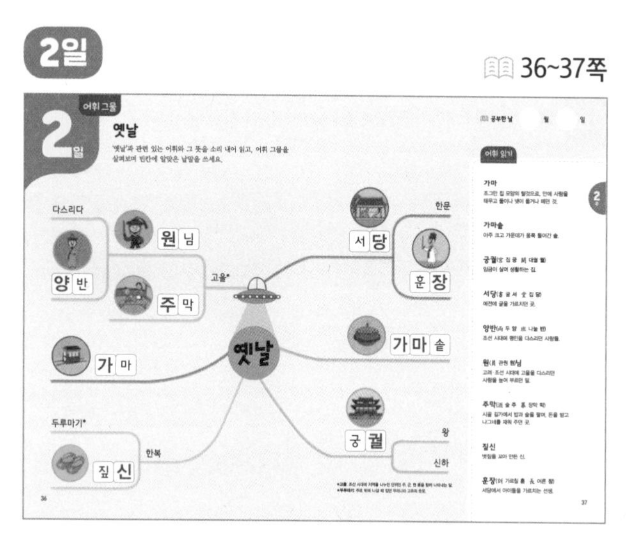

38~39쪽

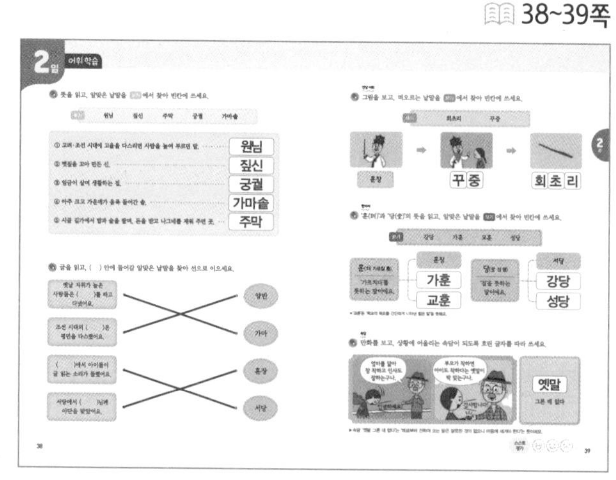

3일

40~41쪽

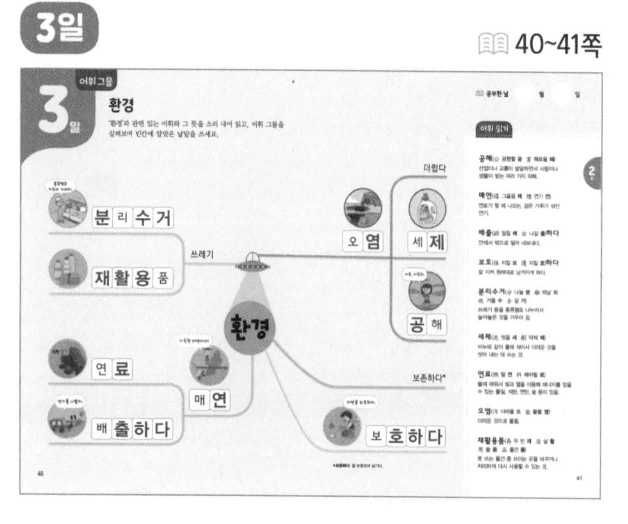

42~43쪽

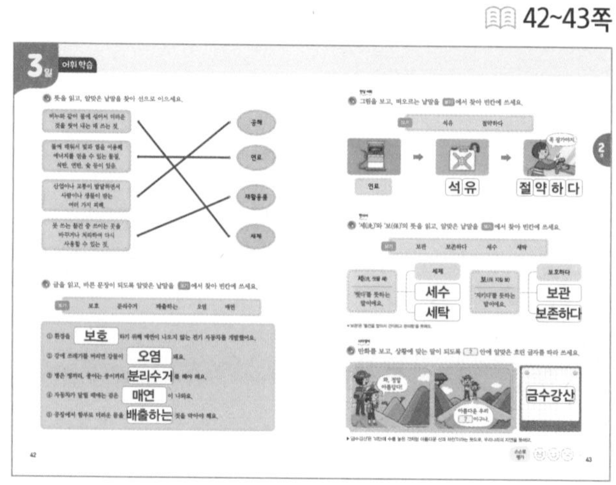

4일

44~45쪽

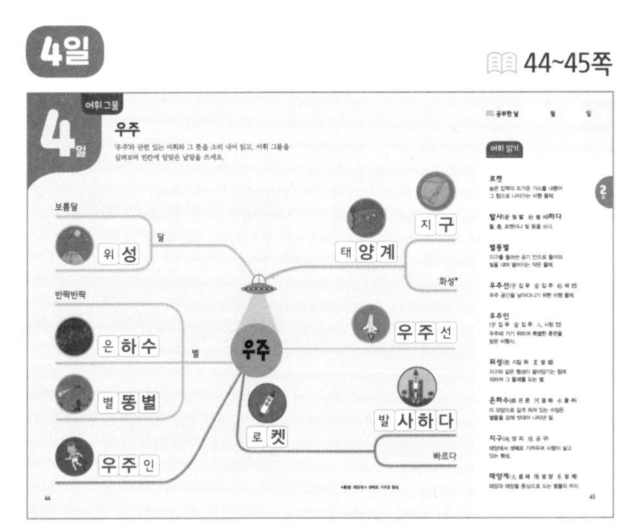
4일 어휘 그물

우주

보름달

위성

달

반짝반짝

은하수

별

별똥별

우주인

우주

로켓

지구

태양계

화성

우주선

발사하다

빠르다

46~47쪽

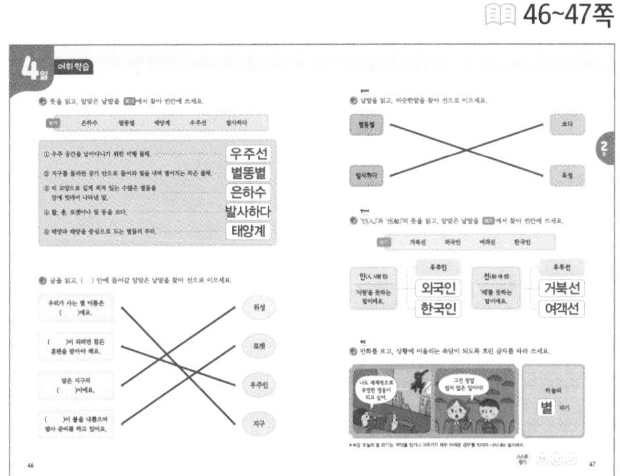
4일 어휘 학습

우주선

별똥별

은하수

발사하다

태양계

외국인

한국인

거북선

여객선

별

5일

48~49쪽

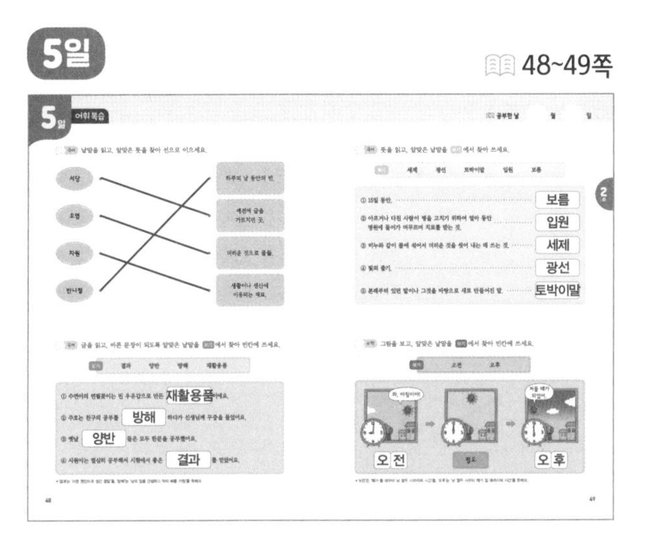
5일 어휘 복습

보름

입원

세제

광선

토박이말

재활용품

방해

양반

결과

오전

오후

50~51쪽

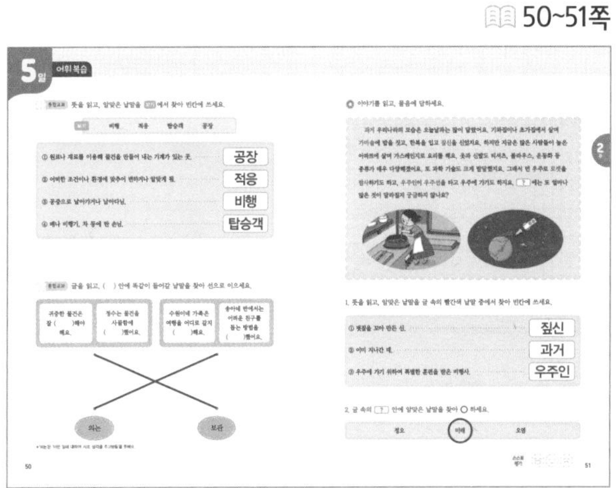
5일 어휘 복습

공장

적응

비행

탑승객

짚신

과거

우주인

52쪽

어휘 놀이

요리조리 길 찾기

3주 정답

1일

56~57쪽

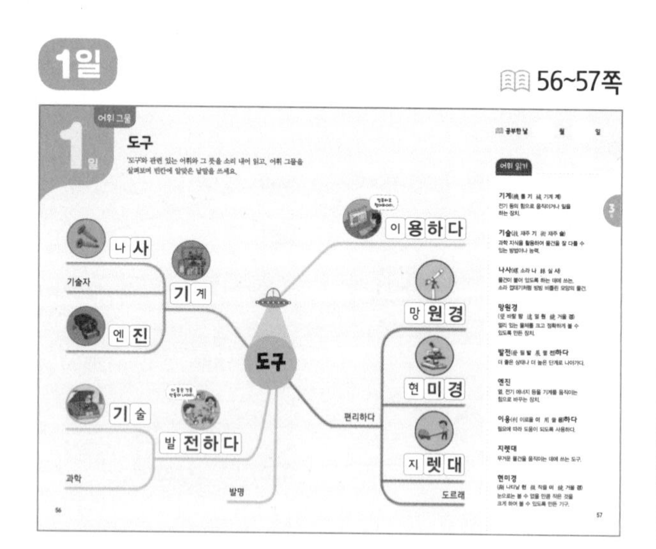

58~59쪽

지렛대
엔진
나사
발전하다
망원경
현미경
이용
기계
기술
기계
발명가
아이디어
쌍안경
물안경
마술
미술
낮

2일

60~61쪽

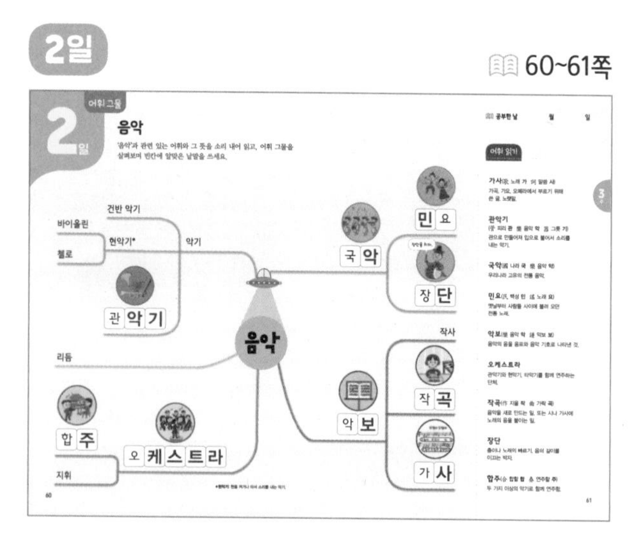

62~63쪽

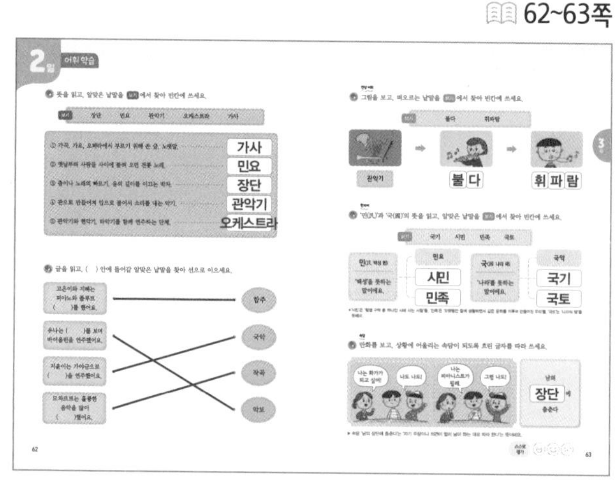

3일

64~65쪽

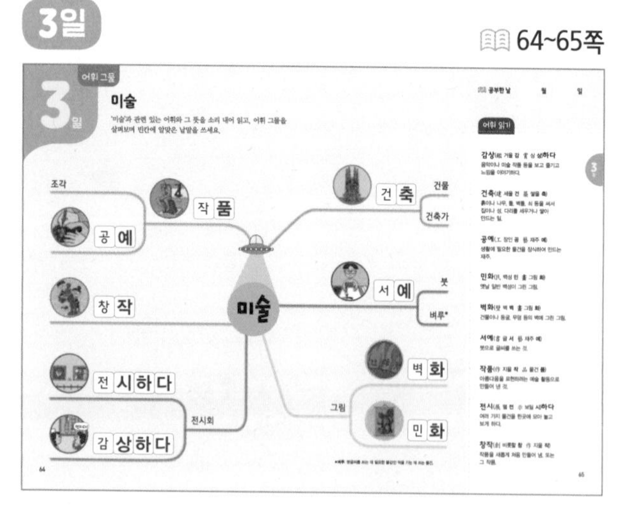

66~67쪽

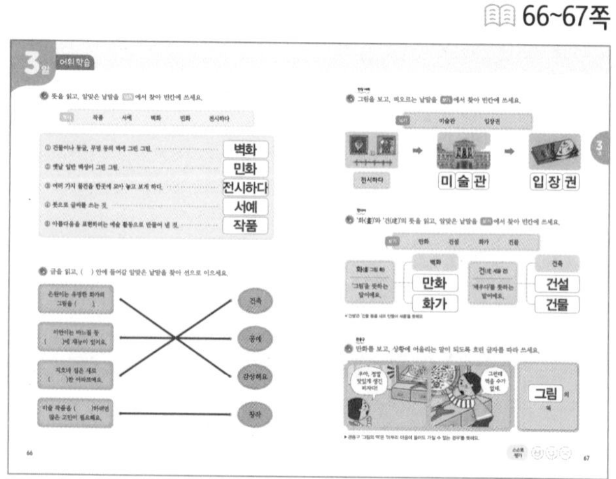

4일

68~69쪽

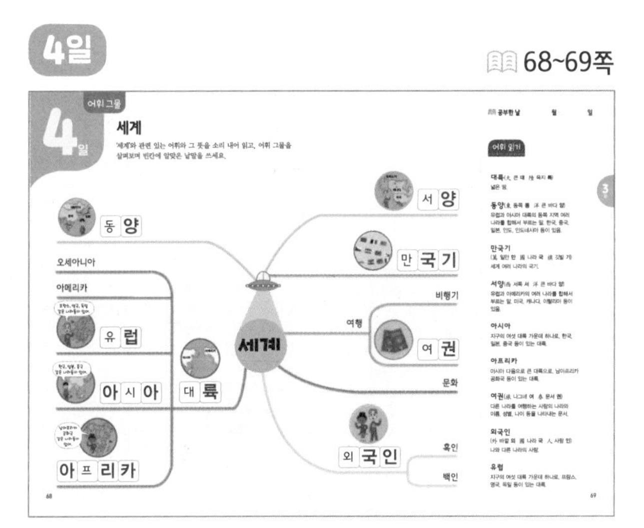

70~71쪽

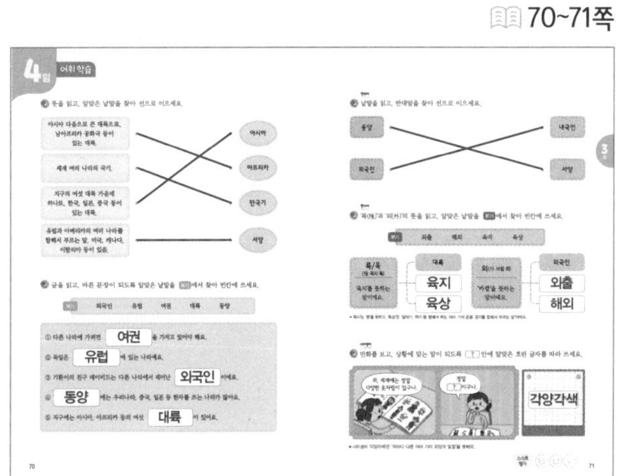

5일

72~73쪽

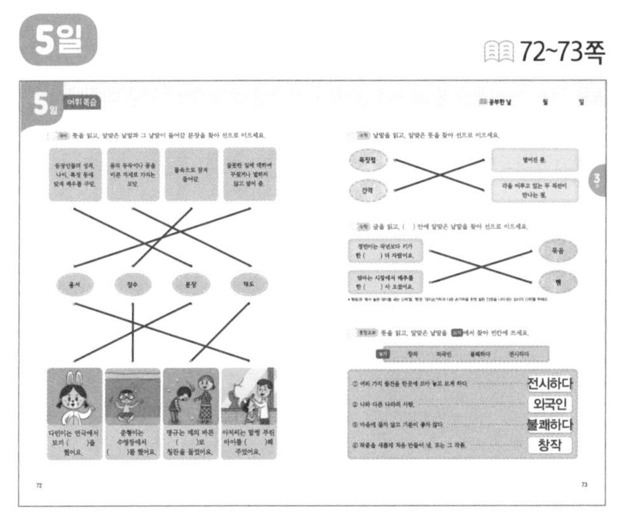

74~75쪽

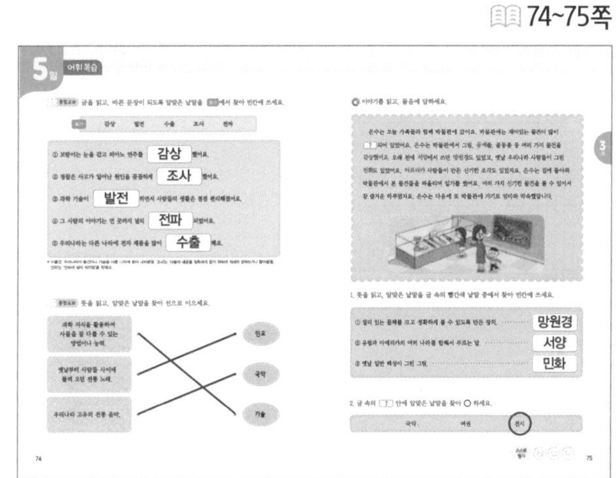

76쪽

1일

80~81쪽

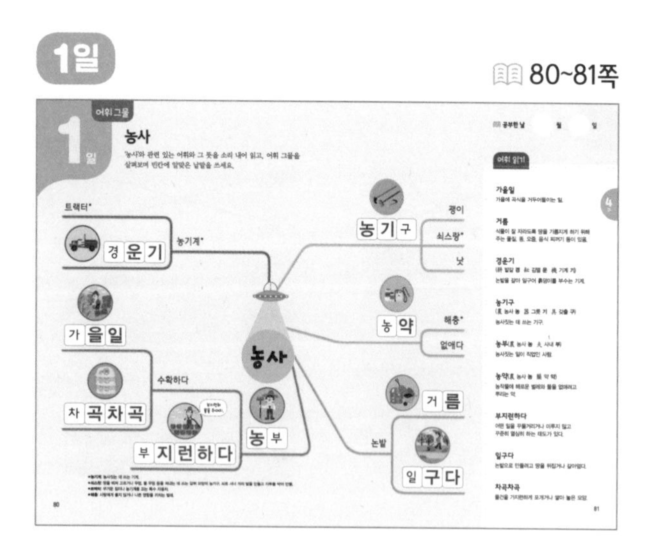

82~83쪽

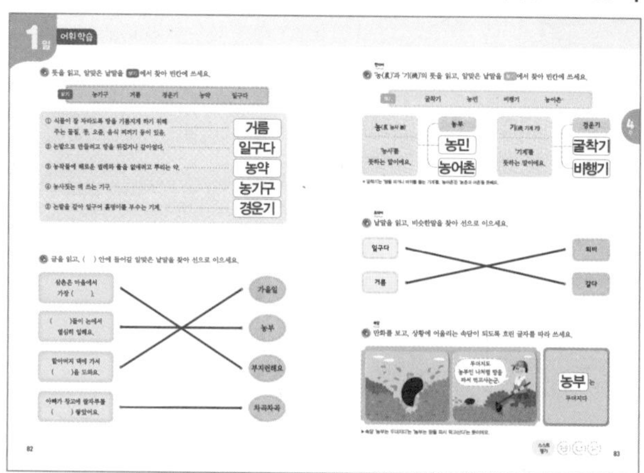

2일

84~85쪽

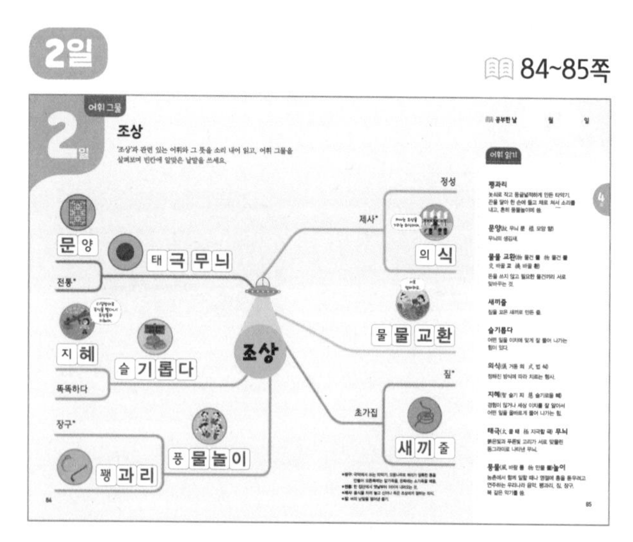

86~87쪽

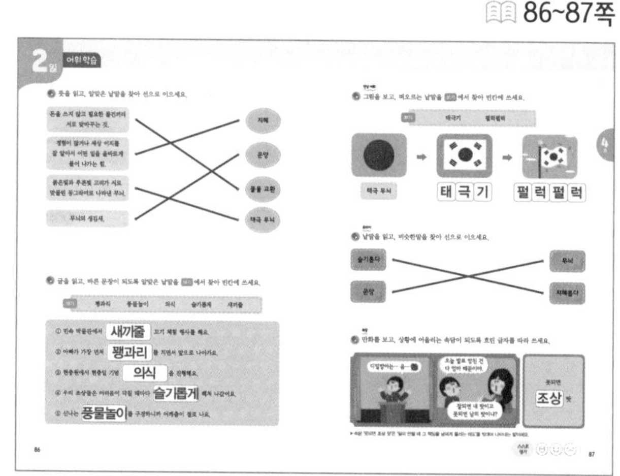

3일

88~89쪽

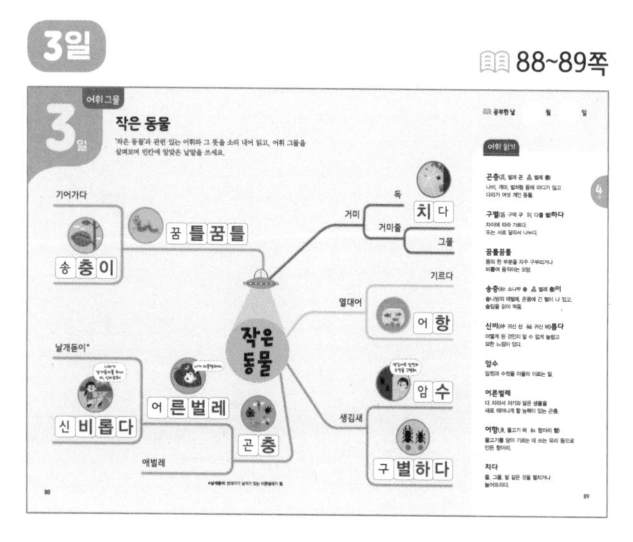

90~91쪽

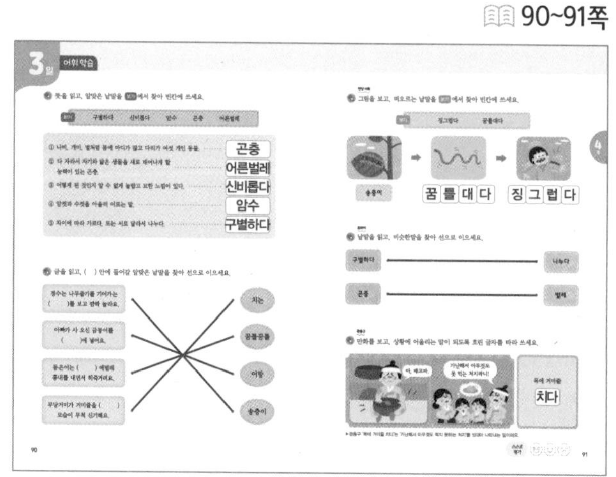

4일

92~93쪽

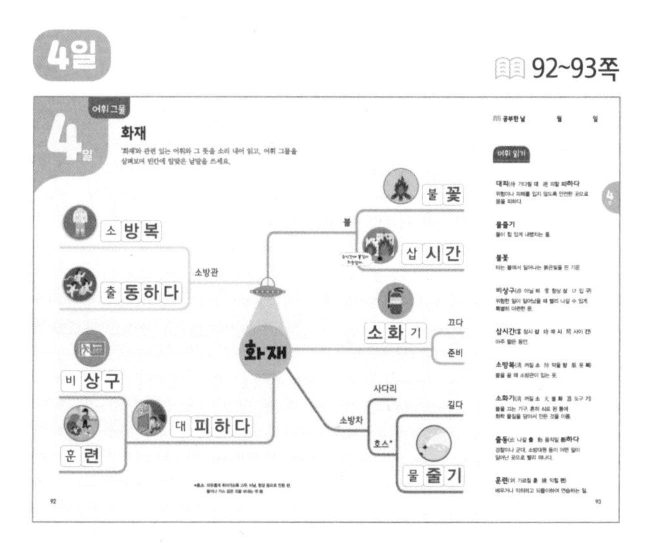

94~95쪽

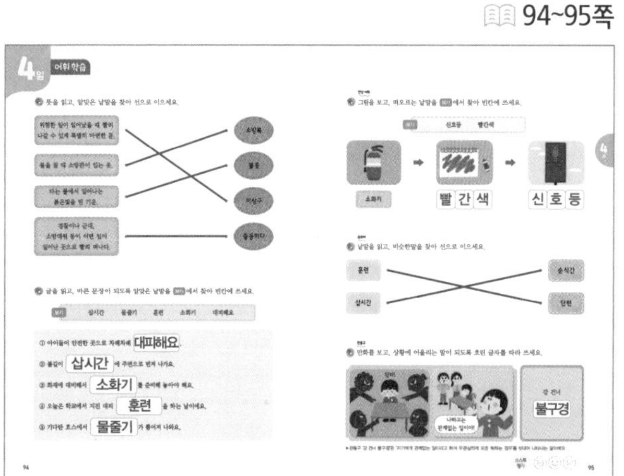

5일

96~97쪽

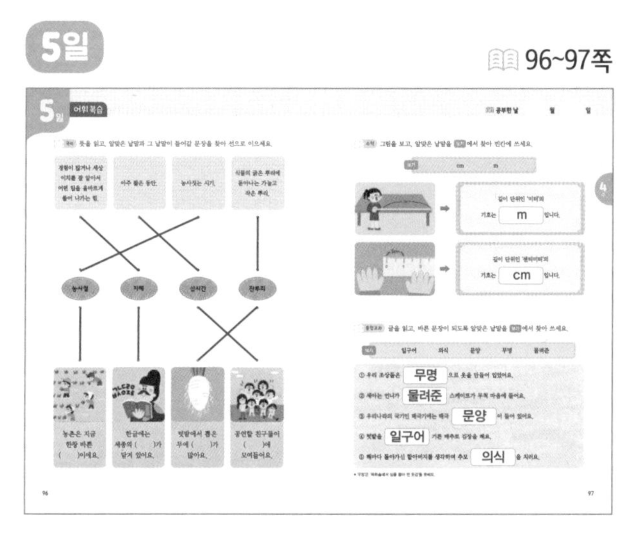

98~99쪽

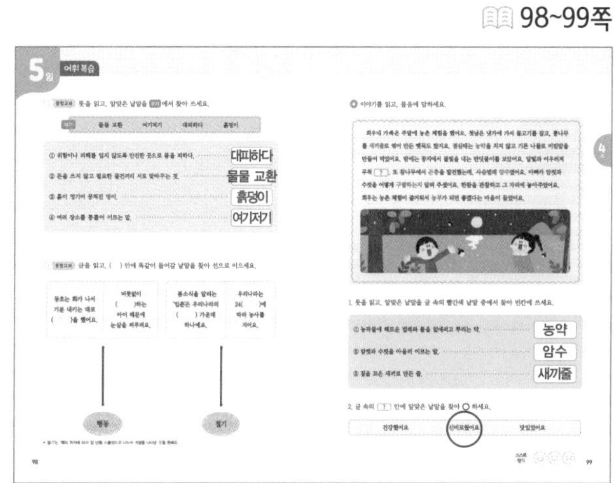

100쪽

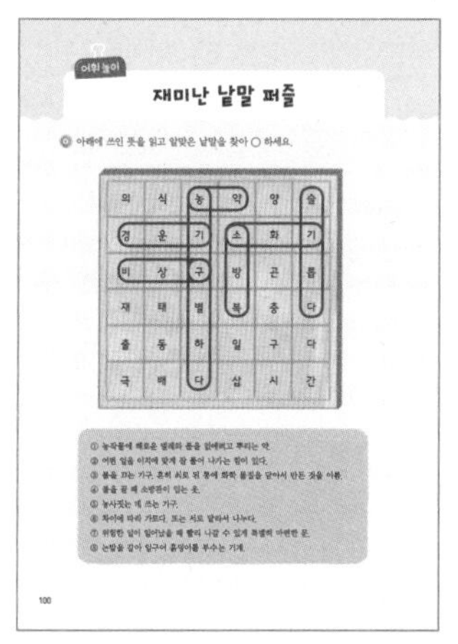

초등 메가 어휘력 어휘 주제표

예비 초등

구분	1권	2권	3권
1주	나	동물	신체
	가족	식물	얼굴
	유치원	음악	감정
	친구	미술	식사
2주	옷	일기 예보	운동회
	건강	무더위	놀이
	생활 도구	바다	놀이공원
	우리 동네	눈	여행
3주	건강한 생활	농장	운동 경기
	병원	농부	교통
	청소	직업	안전
	집	이웃	시간
4주	봄	명절	하루
	여름	예절	일기
	가을	우리나라	학교
	겨울	세계	옛이야기

초등

구분	초등 1~2학년			초등 3~4학년		
	1권	2권	3권	4권	5권	6권
1주	나	동물	방학	나	문학	한글
	가족	식물	편지	집	민주주의	일
	학교	곤충	공연	자연환경	날씨	공공 기관
	친구	질병	체험	전통 음식	문화유산	회의
2주	예절	시간	도서관	언어	시	쓰레기
	우리 동네	옛날	박물관	고장	명절	갯벌
	명절	환경	공룡	물질	환경 오염	자연재해
	우리나라	우주	자동차	교통과 통신	소설	전쟁
3주	성격과 감정	도구	바느질	측정	감각	물체
	우정	음악	요리	지도	경제	자석
	대화	미술	반려동물	지각	희곡	달
	친척	세계	장마	가족 행사	우주	과학자
4주	봄	농사	물놀이	가정	위인	여가
	여름	조상	자전거	음식	전통	배
	가을	작은 동물	낚시	절약	국가	교통사고
	겨울	화재	등산	의사소통	올림픽	에너지